相信閱讀

Believing in Reading

《鮮活思維》修訂版

勇敢洗腦
思維不老

消除慣性，世界從此改變

A New
Perspective

施振榮——著

C◯NTENTS

目錄

勇敢洗腦，思維不老

A NEW
PERSPECTIVE

自序
隱顯並重，改造腦袋（2015年）

　　《勇敢洗腦，思維不老》最早是在1998年出版（原書名《鮮活思維》），有一些當年的時代背景；那時候我們正要邁入二十一世紀，所以我針對什麼是資訊社會、什麼是位元時代，提出了一些看法，其中還包含對資訊社會的三項新思維：曲高和眾、先才富後財富，以及整合單元的多元社會。

　　許多我們習以為常的事，在時代演進下，早已變得不同；但我的思維邏輯只有一個，就是要找盲點、克服盲點。我希望，用文字或嘴巴，傳達一些新的觀點，看看有沒有機會先「洗腦」，訓練大家期望改變，做為迎接未來的開始。

▋ 反思過去，更有意義

　　從空間的角度看，以多元社會為例，我們現在正處在這樣的環境裡，每個人都要有整合單元的能力，每個人也都同時是整合者與被整合者。身為王道領導人，應該要有適應不同角色變化的能力。

　　從時間的角度看，「過去」可以是你面對未來的基礎，只要你不被從前的成功束縛。如果個人或企業可以多一些反

向思考，人生會更有趣也更有意義。

我提出這個想法，已經快二十年了，那時候的「未來」已經變成現在的「當下」。但很可惜的是，有些人還活在過去，反倒是一些年輕學生，比較能夠聽懂我在說什麼。

2000年，我出書時，有位高中生的媽媽打電話給我，因為他的孩子看了這本書，說：「施先生的想法跟我一樣！」我很開心，因為那就表示，我的想法是很新的思維。只不過，這些思維，如果沒有相當的社會歷練，一點一滴去體會，就仍只是思想；要能夠產生改變，還是要長期身體力行。

王道奠基，轉型升級

近五年來，台灣對於產業升級轉型的需求愈來愈急迫，也開始關注競爭力、永續發展生生不息等等議題。因此，我把2015年定為「王道插秧計畫」元年，除了推出王道經營會計學，還與天下文化合作，推出「王道創值兵法」系列套書。

王道是組織的領導之道，它的核心理念是創造價值、利益平衡、永續經營，並透過六面向價值總帳論評估事物的總價值，才能長期平衡發展，達到最大價值。

至於王道創值兵法的內涵，則包括：一以貫之、以終為始、吐故納新、價暢其流，這些觀念在套書裡都可以看見，只是有些書會又特別側重其中幾項。

《勇敢洗腦，思維不老》中所談的觀念，舉凡時代、人生、職涯、成功、企業、社會、競爭，不一而足，最終目

的，就是希望讓大家看見與傳統不同的多元思考模式，並且落實在生活中，讓生命更美好。

從這個角度看，正好呼應了王道創值兵法的一以貫之與吐故納新。前者，強調無論環境如何變化，都要以六面向為準則來衡量價值，達到利益平衡；後者，則是展現在價值與流程的改變，屬於心靈改革的一種，也就是吐故納新的精神。

尤其，王道最重要的理念之一是隱顯並重，所以，這本書一方面是提醒大家重視隱性價值，一方面則是談要如何改造腦袋，也就是洗腦。我認為，這本書是所有書中最合乎潮流的東西，因為它談的是思維，而王道精神又是我一直以來都保持不變的思維體系。

自序

我對台灣社會的人文關懷（1998年）

兩年前拙著《利他，最好的利己》（原書名《再造宏碁》）出版後，受到國內外各界的肯定與回響。對我最大的鼓勵，是大家認為可以從書中吸收很多經驗，拿宏碁失敗的教訓當借鏡，不必重新摸索或重蹈覆轍，就能學到一些重要的企業經營理念。

最近，哈佛大學管理學院，參考該書整理成宏碁管理教案，做為世界各大學管理課程教材，用以探討企業組織改造，我因而深深感到在忙碌的企業生涯中，能撥空寫些心得和經驗與大家分享，是件很愉快且很有意義的事。

▓ 不只是科技或企業管理

這本《勇敢洗腦，思維不老》是希望表達我個人對台灣社會的人文關懷，內容遠超出科技與企業管理範疇。

台灣社會近二十多年變得如此富裕後，傳統價值觀念一再被顛覆。許多人忙於追求心中的物質渴望，更多人早已淹沒在大量的媒體資訊浪海之中，每天等著別人告訴他們生活的意義與目標。每個人如何在眾說紛紜的世界，找到自我依

歸的方向，全賴自己對於智慧的追尋。

▍突破傳統思考，勇於創造價值

　　什麼是鮮活思維？鮮是新鮮，活是活用、生生不息。鮮活思維簡單說，就是不受傳統思考所困、符合現世社會所需、尋求突破且事半功倍的思考模式。

　　經由這樣的思維，可以「不留一手」，放開心胸和別人分享自己的經驗；可以放心去實驗生活，創造前所未見的價值；可以憑著平凡的本質，走出一條不平凡的康莊大道。

　　鮮活思維的推展，在於落實人生的經營，在自我時空中享受人生。當人生遇到困境無法擺脫時，鮮活思維可以幫忙走出陰影，為之解套。

　　鮮活思維的實踐者能勇於嘗試、面對失敗。生活在這「十倍速」的時代中，人類每天都在向未知的未來挑戰，隨著知識與資訊生產量暴增，全球企業的競爭已進入白熱化。唯有一再突破舊有的窠臼，才能有效思考、創造價值。

　　新里程的建立，常是不斷錯誤與嘗試的累積。經由鮮活思維，可以找到攻堅的效力與智慧，可以面對失敗、再接再勵、不斷翻新，終能成功。

　　鮮活思維的理念以實務為基礎，可行性極高，可貴之處在於擺脫理論的束縛，放棄人云亦云的習性，培育獨立思考的能力，增進個人生活體驗與實踐效益。以鮮活思維為龍頭，引領而出的是實踐的人生，二者不可分割，如同一體的

表裡兩面。

　本書希望藉由一些和傳統不同的思考方向，與讀者一起探討時代變遷、人生意義、職涯規劃、社會風氣，以及如何開創自我人生、追求企業永續、更進而提升國家競爭力。

鮮活思維，舉一反三

　全書共有七章，分別從時代觀、人生觀、職涯觀、成功觀、企業觀、社會觀及競爭觀來談鮮活思維。這些鮮活思維試著以簡單的內容呈現，提出一些突破瓶頸的思考模式。希望讀者能舉一反三，不要為之所限。

　鮮活的時代觀強調未來是無形勝有形的資訊時代。以智慧為基礎的無形物質，如軟體、專利、藝術創作，將以位元移動的方式複製與傳遞，其創造的價值及速度，絕不是以原子組合的有形物質所能相比。文中探討這些改變對未來大環境的影響，面對資訊時代來臨，我們應用什麼思維面對、應以什麼態度看待。

　鮮活的人生觀以享受人生為目的。人類的科技發展，無非是為提高生活的舒適與享受，如何能永續享受，一代比一代好過，就看我們如何以最少資源創造最大價值。

　鮮活的職涯觀提出模組化的生涯規劃。在分工整合的職場中，不再是爭奪個人英雄色彩的表現。每個團隊都需要各式的專業能力，才能發揮最大綜效（synergy）。生涯規劃與選擇，不必盲從，只要發揮自己之長才，不斷專攻，終將有

所成就。

鮮活的成功觀鼓勵大家成為自己生命的主宰，如同一個企業老闆，看清自我的才能與抉擇，勇於擔當責任與後果，樂於與周遭人們溝通，為自己的理想奮鬥，終能美夢成真。

鮮活的企業觀試圖描繪出看不見的企業生命本質，也是主導企業長期成敗的要素。企業價值、企業文化、企業願景，決定一個企業能否永續經營、能否禁得起一波接一波新興科技的挑戰。能度過驚濤駭浪的航行者，不在於是否有寬廣大船，而在於有沒有足夠的鬥志與毅力去迎接及克服困難。

鮮活的社會觀指明這是一個有史以來物資最充裕的社會，也是價值最多元的社會。過去的行為準則與思考模式和現代動態社會不吻合，心境在環境轉換中發生落差，因而產生「亂」的感覺。如何重建心靈，以正確觀念面對社會亂象，從事學術研究與科技創造，才能真正造福人群。

■ 迎頭趕上，提升國家競爭力

〈鮮活的競爭觀〉一章，是我擔任總統府國策顧問競爭力策進小組成員後的一些建言。我將個人多年來在企業崗位上所思所學提出來，與大家共同激盪，讓提升國家競爭力的具體方向與做法，在政府與民間形成共識，也算是略盡貢獻附加價值的責任。

台灣在未來快速轉動的時代巨輪中，將繼續追求經濟與科技領域的「迎頭趕上」，政治與文化體系的「主權在我」。

將來在這塊土地上的人們，是否能生活得更加快樂，是否能為人類社會創造更高價值，端看能否厭棄惡習，以鮮活思維迎接新世紀的來臨，面對新時代的挑戰！

本書的版稅收入，將全數捐給財團法人宏碁基金會。該基金會以宏碁經驗的分享為起點，以科技傳承與人文關懷為宗旨，深信人類經驗的無私共享，將是幸福社會的源頭。由於宏碁基金會林文玲小姐與黃裕欽先生的先後執筆與編輯，本書才得以付梓，在此一併致謝。

最後，我要將此書的功德歸予我母親及內人。她們為我創造了毫無後顧之憂的世界，陪我一起度過人生的波浪起伏，沒有她們，就沒有今日的施振榮，也不會有本書的問世。

CHAPTER 1

生命變得更美好

許多我們習以為常的事，
在時代演進下，
早已變得不同。
多一些反向思考，
人生會更有趣也更有意義。

鮮活的時代觀

——無形重於有形的時代

世界正以前所未有的速度汰舊，

推動改變的力量，

既不是貨幣，也不是機器，

而是一些看不見的東西。

無形資產成為人類主要的生財工具，

無法囤積居奇，

但它的價值卻會因為使用愈多而增加。

　　無論心情疑慮或欣喜，準備周全或草率，我們都要邁入二十一世紀了。在即將揮別二十世紀的今天，許多人都在汲汲探詢，未來世界將是什麼樣的圖像？有人著眼於電腦科技的無孔不入，預言人類將走進「資訊時代」；也有人因為世界正以前所未見的高速在汰舊換新，而產生「十倍速時代」的說法。

　　電腦科技為什麼無孔不入？世界變動為何一日千里？如果進一步剖析這些問題的本質，會發現推動變革的力量和過往人類的經歷大不相同，既不是貨幣，也不是機器或工具，而是一些看不見的東西；更明白的說，二十一世紀將是「無形價值勝於有形價值」的時代。

　　道理何在？就讓我們從「資訊時代」這個概念談起。

▓ 什麼是資訊社會

　　毫無疑問，大家都感受到人類已經漸漸從工商社會邁入資訊社會。但什麼是資訊社會？它真正的意涵並不僅局限於辦公室有多少電腦，或工廠自動化程度有多高，從字面來看，和過去農業社會、工商社會最大的差異，便是人們生活的重心，已經從農事、工商活動轉而投注在資訊上。

　　廣義的資訊可以分成三個層面：資料（data）、資訊（information）和知識（knowledge）。經過整理的資料才能成為資訊，而消化過產生意義的資訊，才能成為有用的知識；反過來說，如果不整理資料、不消化資訊，到頭來，這些東

西就只是一堆垃圾罷了。

　　未來的社會，人們的生活將是以知識為基礎的社會，建構在學習、創新、娛樂、人際關係、資訊流動等面向上，而凡此種種，都是屬於無形的東西。

　　因此，資訊時代的特質，就是無形的東西將支持社會更加高度發展。事實上，人類體能是有其極限的，我們還是和過往一樣，每天工作八小時便需補充八小時睡眠，但由於腦袋的活動量比過去大很多，於是，世界便產生了「十倍速」的高度成長。

■ 無形帶動有形

　　何以無形知識較有形物質更能帶動世界高速成長？

　　可以想見，由於科技進步造成產能突飛猛進，未來任何一項物質，可能只需要一個國家、幾家公司從事生產，便已足敷世界所需。也許大家都仍記憶猶新，1996年，由於幾家半導體廠翻新技術與擴廠，動態隨機存取記憶體（DRAM）價格在短短幾個月暴跌至原來的八分之一，這就是科技推動量產威力展現的結果。

　　但反觀英特爾（Intel）這家全球最大的半導體公司，它賣的不只是看得見的那小小一方微處理器，真正值錢的是矽晶片上那些看不見的設計。龐大附加價值的軟體，讓英特爾主宰全球電腦產業。

　　從這個角度來看，一個國家若一味依靠發展有形物質來

支持經濟持續成長，這樣的策略能夠借重多久，顯然是值得思考的問題。

在無形價值當道的二十一世紀裡，也許有一天，當你以為你的小孩坐在一邊胡思亂想，且慢出言斥責，因為他可能正在創造人類更高的價值。

■ 什麼是位元時代

美國麻省理工學院教授尼葛洛‧龐蒂在《數位革命》一書中剖析，位元時代已取代了原子時代。

在電腦發明之前，人類的經濟活動幾乎都是原子世界，不管汽車或電腦，即便是文化或思想，也必須透過紙張或建築物等原子物品留存。

但到了位元時代，訊息或圖像都可以轉化成0與1的位元，現在只要一開機，就可以很輕易的在電腦螢幕上瀏覽到四書五經；甚至，真實世界都可以變成虛擬實境（virtual reality），人們即使足不出戶也能穿越時空、四處遊歷。

在原子世界裡，製造一個東西必須消耗很多能源，但位元世界裡，創造依靠的是大量腦力；要運輸原子產品，必須花費時間與成本，而移動位元產品卻只在轉瞬間，成本極低。

數位革命也將改寫通訊歷史。過去，電話線只提供交談功能，一聲問候就耗去兩秒；以後，透過數位方法將訊息壓縮，只要千萬分之一秒就傳給對方。相同的電話線，數位化之後，不但通訊數量增加，連聲音、文字、圖形、影像都能

傳送。

▍位元世界無所不在

目前在全世界，不管光纖電纜、有線電視同軸電纜，或一般的電話線，就像人體神經一樣密集，它們可以傳達非常大量的訊息，透過數位方式壓縮與解壓縮，位元傳到任何地方，速度快、所費不多；甚至，位元也可以不透過線路，在空中便能自由傳輸，等於是無所不在，比之建設一條高速公路，成本與效益都要高上千萬倍。

未來，原子世界仍然存在，只是位元世界的比重大幅攀升，在不久的將來，我們的生活型態將是：在「行動式辦公室」工作，利用遠距教學學習，透過遠距醫療保健，在網路上購物，用電子郵件通訊，每天都離不開這個無形世界。

透過數位革命，人類精神文明創新速度會更快、更多，例如故宮典藏代表中國五千年文化，是陳列架上的骨董，但是當新科技結合這些文化資產，它們將不再只是供人緬懷過去的「遺產」，而可能融合到流行文化或翻新學術理論，使它們展現創新的生命力。

例如，多數人從來沒有到過金字塔和萬里長城，但有一天，透過虛擬實境，大家都能如親臨現場般優遊其間。

無形價值當道，位元世界快速而無遠弗屆的威力，使得過去只有少數人能接觸的「小眾文化」，成為人人皆可享受的「大眾文化」。

在過去的人類歷史中，文明多半是豪門貴族的專屬權利。精雕細琢的器皿與飾物、宏偉璀璨的建築、賞心動人的音樂與繪畫，都是因為貴族想要滿足生活上的享受，所以閒來無事自己創作，或是供養一批藝術家專事創作。

甚至連科學的發明亦復如此，阿基米德發明物理定律，不就是為了國王想測量皇冠體積，而在舒適浴缸裡突發靈感？簡單的說，不愁吃穿的人才能有錢有閒追求精神生活。

時至今日，絕大多數人都具備封建時期貴族的經濟條件，都有需求、也有條件享受精神生活，又因為教育普及、衣食無虞，人們便開始「胡思亂想」，於是，像你我這樣的市井小民也開始創造文明；也就是說，享受與創造文明的人已從小眾變成大眾，社會潮流的主導也由「小眾文化」轉成「大眾文化」。

於是，未來大眾文化相關產業，將會變成龐大的市場。

▍顛覆舊有行為思考模式

舉例而言，現在體育節目在全世界收視人口往往都是數以億計，假設我投資一億元新台幣，開發出類似運動競賽這種國際化的軟體（可以想見，那是個相當高品質的東西），有十億人用電視或電腦來接收使用，單價只要一百元，對消費者來說，已經是相當物美廉價的享受。

但對我來說，單位成本只要一毛錢（無形資產和有形資產最大差異之一，是複製它幾乎不需要成本），獲利高達千

倍。這就是軟體威力所在。

　　無形價值當道，人類幾千年來的行為與思考模式將因此而顛覆，但我們是不是已經做好迎接這個趨勢的準備？

　　舉個簡單例子，偷一條牛算竊賊、在別人食物裡下毒是兇手，但是盜拷電腦軟體或在電腦網路上下毒，偷竊的價值和受害的層面都大上千百倍，但這些元兇與幫兇可能不但沒有犯罪感，還覺得自己很厲害，甚而一般人也會認為這沒什麼大不了嘛。

　　從這個例子足以看出，多數人的觀念仍然停留在物質掛帥的時代，也因此，一些有識之士一再大聲疾呼：再不急起直追，我們就要在數位革命中淘汰出局了！

▌曲高和「眾」

　　所謂「革命」，看起來好像是翻天覆地的變局驟起於一夕之間，其實任何事情發生變化總是由遠而近、逐步演變的。如果回頭檢視歷史上種種革命，事前都有很多跡象，也有很多機會可以應變，資訊社會也是如此；換言之，從現在開始，我們還有足夠時間，調整心態，因應資訊社會的來臨。

　　邁向資訊社會的第一個新思維：未來，創作將不再曲高和寡，而應該是曲高和「眾」。

　　在過往，創作往往是不食人間煙火、高處不勝寒的使命，所以創作者常嘆知音難覓，甚至到身後作品才為人所肯定，這不能不說是遺憾。在資訊時代，從事創作的人要開始

具備市場觀念，既然是嘔心瀝血的作品，就要有方法把作品單價降低，讓大眾都能享受，如此，無論在精神或物質上，才能得到有效回饋，創作之路才能生生不息。

　　或許有人會認為這種說法充滿銅臭，因為「藝術是無價的」。在我的詮釋當中，「無價」有兩種涵義，一種是指總和價值很高，另一種是指單價很低。由於單價很低，所以普及大眾，而享受人口愈多，作品對人類的貢獻及其總和價值也就愈大，這就是個無價的創作。

　　如果創作者不能接受這種觀念，只是一味追求自我滿足，完全不管有沒有得到共鳴，那麼，這類藝術創作就真的是另一種「無價」——毫無價值。

▋先「才富」後「財富」

　　當曲高和眾的觀念廣為創作者所接受，相對的，社會價值觀也會有所調整，有「才」斯有「財」，就成為資訊社會的第二個新思維。

　　過去，人們對於財富觀念完全著眼於有形資產的多寡，例如土地、房子、車子、珠寶等等；至於才學則屬於精神層次，和財富多寡並不相關。因此在傳統觀念裡，讀書人應該是學富五車、兩袖清風，學者的成就顯現在研究報告或學術著作上；但即使著作等身，都難以因而致富。

　　未來，這種情形將會轉變，擁有最多知識和智慧的學者，透過市場機制，反而可能是最有財富的人。因為他除了

可將智慧財產換成金錢，還擁有豐富的知識礦，能夠隨時換取財富。

當無形資產取代有形資產成為人類主要的生財工具，伴隨而來的是兩個革命性新觀念產生。

█ 囤積不能居奇，愈用愈有價值

第一個觀念是，無形資產無法囤積，更遑論居奇，沒有善加利用所造成的浪費，會比有形資產的閒置損失更加慘重。這是傳統思考模式不會遭遇的問題。因為，像土地或礦產這類有形資產，囤積會造成保值或增值的結果，但創意或智慧財產一旦閒置、錯過時機，不但不能保值，還可能一文不值。

第二個觀念是，無形資產的使用沒有排他性，使用無形資產也不會造成損耗，而且用得愈多，價值愈高。

在有形世界裡，我擁有一部車或一棟房子，別人就不能擁有這個房子或車子；要生產汽車，就要用掉鐵礦；要蓋房子，就要用掉很多水泥、砂石。這就是原子的轉換，它是從「有」到「有」，有了什麼東西，是消失另一樣東西換來的。

但是無形資產卻是無中生有，一首歌曲的產生並不需要原料，當有人聆聽之後，歌曲不缺不損，聽的人愈多，它所帶來的享受層面愈廣，真正是「取之不盡、用之不竭」。這也是完全超乎傳統思考模式的觀念。

「財富」有形，「才富」無形，這是一個無形勝有形的全

新時代。

　　當社會價值觀不再拘泥於有形資產，人人都可以透過市場機制讓創作得到回饋，於是，資訊社會必須具備的第三個新思維，就是從一元轉變成多元。

■ 整合「單元」的「多元」社會

　　在科舉時代，知識份子只有一個目標 —— 當狀元。為了這個一元目標，大家的生活方式都是一元的 —— 十年寒窗；社會價值觀也是一元的 —— 功成名就、錦衣玉食。即使到了工商時代，寄託在物質文明的價值觀與行為模式，仍然主宰人類的社會。

　　但當人類物質生活達到基本需求後便會發現，享受物質總有其極限，房子太寬敞整理起來耗費時間、食物吃多了會消化不良或得到富貴病。

　　但是，一個好的創作或接受知識的「灌頂」，可能只要二十秒、一分鐘，瞬間就能得到很大的滿足，甚至可以同時享受好幾種，卻不用擔心消化不良，因為精神層面的享受沒有極限。因此，人類享受生活的方式就開始變得多元。

　　於是，供給因需求而生。只要能夠提供人們獲得享受的功能，每個人都可以海闊天空的揮灑創意，每個人都可以有自己的風格，在不同領域各自用獨特的方式，達成希望獲致的成就。

　　當許多「一元」創作者集合起來，就變成一個多元的社

會。想想看，這麼多創作，而且每「一元」的消費又那麼便宜，人們的生活將會變得多麼豐富！

於是，尊重多元就成為人們必須具備的基本修為。當有人鑽研新型遊戲，千萬不要指責他們不事生產，如果他們因而致富，也不要認為那是不勞而獲，因為在資訊社會裡，勞動和生產的概念已經改寫。

總而言之，面對資訊時代，我們必須以嶄新、鮮活的思維來迎接它，而我所信奉的就是：「無形價值勝於有形價值。」無論是經營企業、人生或社會，都將帶給我們不同的視野、不同的心胸。

鮮活的人生觀

── 以享受為目的的人生

如果,「勞」是沒有效率的勞動,

「逸」代表高品質的生活。

那麼,好逸惡勞又有什麼不好?

　　最近幾年，常聽到有人批評時下年輕人「好逸惡勞」，感嘆「一代不如一代」，對於這種說法我有不同的看法。

　　先說「一代不如一代」。我始終相信，每一代人努力工作，無非是為了給下一代更好的生活。絕大多數父母親都會說，自己辛苦持家，是希望下一代能夠過好日，那麼為什麼當下一代真的如此，卻要說他們「一代不如一代」？

　　年輕人現在的樣子，是我們教養、塑造出來的，如果下一代不符我們的預期，那又是誰的責任？

　　更進一步說，事實果真是「一代不如一代」嗎？教育的普及、科技應用的進步、資訊的傳播，結果應是一代強過一代。想想今天新新人類所擁有的知識和技能，有多少是舊人類望塵莫及的？

　　再談「好逸惡勞」。讓我們先來重新思考，什麼是「逸」？什麼是「勞」？如果「逸」代表高品質生活，而「勞」是代表低效率勞動，那麼「好逸惡勞」究竟是好還是不好？

「新好逸惡勞」論

　　在過去的時代裡，創造價值必須依靠體力勞動，但到了資訊時代，一個人沒有在勞動，也許是正在構思如何創造更高價值；另一方面，為了讓工作做得更好、走更長遠的路，也需要足夠的睡眠和休閒。所以美國人一年有兩週休假，連總統也不例外。

　　換句話說，充電、產生靈感和提高生活品質，都是

「逸」的價值，我們不能以過時的標準及有色的眼光來看待這些行為。

無效的「勞」等同浪費

以前人常說：「沒有功勞也有苦勞。」這意謂著「勞」只會是好事、不會是壞事，但時至今日，「勞」卻可能帶來沒效率與浪費。

比方說，做事有要領的人花一分力量完成一件工作，沒要領的花十分力量才達到相同結果，這是沒效率的「勞」；市場只需要十個產品，卻很辛苦的生產一百個，造成供過於求浪費九十個，這是無效的「勞」。

換言之，不求效率的勞、無效的勞、做錯事的勞，不但沒有解決問題，反而製造問題。因此，如果有人因為講求有效與正確的方法而使得做事比較「不勞」，無論如何都不應該被責難。

這樣的思考對於企業經營者來說會愈來愈重要。當社會日趨民主化，每個人都能夠獨立思考判斷，員工會不斷反省也會挑戰主管：我的「勞」有沒有意義？有沒有效率？如果不能合理解決，整個組織便會在無效的工作模式與爭執之間，愈來愈顯出疲態與無力感。

或許有人擔心，意義和效率往往是見仁見智，這樣的說法是否反而給不事貢獻者逃避責任的藉口？事實上，貢獻多寡可以透過「價值／成本」評估，計算一個人創造多少價

值、花費多少成本，「價值／成本比」高，貢獻度大，競爭力也強；反之，貢獻便小，競爭力弱。有了評量標準，便不至於錯怪勇於改善的人，也不會給心存僥倖者可乘之機。

企業競爭力的提升，全賴員工有「好逸惡勞」之心。

人生以享受為目的

相信很多人在和朋友或晚輩談起人生的追求時，總勸告他們「人生以服務為目的」，並不忘曉以大義；而我卻要說「人生以享受為目的」，並曉之以大利。並非我好做驚人之語，只因從「享受人生」和「追求大利」去思考，才能得出永續的人生模式。

原因何在？

想像一個場景：你苦口婆心勸誡年輕朋友「人生以服務為目的」，對方不解「為什麼人生要以服務為目的？」再往下追問兩次「為什麼」，你所得到的答案，將是個空泛、難以理解的仁義道德。而這個東西的說服力是相當薄弱的，因為它往往是說的很多，但做的卻非常少，如果沒有活生生、力行多年的榜樣做為見證，很難產生說服力。

我想，當孫中山先生在百年前提倡這個理念時，在當時的社會環境，也許只有少數知識份子會覺得有共鳴，但是到今天這個環境，還能得到多少人共鳴？不同的時代，溝通方式不能一成不變。

而「人生以服務為目的」和「人生以享受為目的」，雖

然說法上是天壤之別，事實上目的卻並無不同。

　　如果自問：人生到底要享受什麼？假設答案是「名利」，那麼，要如何才能長期持續享受名利？答案是：要靠服務才能換得美名和金錢，這樣一來，不就達到「人生以服務為目的」的目的？

▌引導正確觀念，溝通效果才會好

　　但這兩句話的溝通效果卻完全不同，當我們勸別人「人生以服務為目的」，對方多半當成耳邊風，但是聽到「人生以享受為目的」的鮮活詮釋時，眼睛一亮、心有所感，起碼不抗拒、不防衛，細細思量之後，也許就接受了這個說法。

　　有時我和年輕朋友對話，對方說：「人生嘛，就要及時享樂。」我會反問：「你要享受的是短期還是長期的快樂？如果只要短暫作樂，我也拿你沒辦法；但如果是長期，就要成長、要歷練、要投入努力，否則你的享受就會中斷，金山、銀山也會坐吃山空。」

　　我的經驗裡，如果能夠務實面對客觀環境，慢慢引導正確觀念，溝通效果是比較好的。

　　建立這樣的思維益處良多。舉例而言，我們都期許公務員是「公僕」、「人民的保母」，「要以服務廣大民眾為己任」，公務員也對這些教條倒背如流，但到頭來服務績效還是為人詬病。可是如果大家能夠想通，服務是為了追求享受，而不是被逼著不得不然，服務起來就會心甘情願，民眾

也不必無端受氣，對大家都有好處。

　　相同的邏輯，「曉以大利」與「曉以大義」也是殊途同歸。因為一個人若要追求名利，卻不顧道義、不講道理，名利也不會長久，歸根結柢，還是必須顧全義理。

■ 追求名利光明磊落

　　舉例而言，曾經有企業老闆向我表示，公司因為稅務考量不得不做兩套帳，也有人說，為了節省支出不能投資環保設備。我告訴他們：「這樣做當然有你的考量，只是這麼一來公司就無法取信大眾、股票也無法上市，還天天面臨被開罰單和停止生產的威脅，公司就永遠做不大。既然目的是賺錢，到底哪種方式賺的錢比較多？」

　　如果放長眼光來看待名利，只要取之有道，享受名利是正當的，所以我向來主張「追求名利光明磊落」，如此一來，大家追求名利才不會有罪惡感，這才是真正的享受。

　　例如，我是老師，在課堂上要學生遵守交通規則，出了校門口，卻為一時之便闖了紅燈。類似言行不一的例子，在我們周遭俯拾皆是，這就是因為沒有把「享受人生」的道理想通。

　　試想，如果我遵守交通規則，做到言行一致，贏得他人尊敬，我可以享受美名；如果我貪圖短暫方便，卻剛好被別人看見了，就得不到別人的尊敬。這麼一想，道德規範終究都是為了自己的利益，心裡想的和實際的行為才不會有出入。

　　享受是目的，服務是手段。服務是最有效的手段，是利人利己的手段，是成本最低的手段，是永續享受的手段，也是可以一以貫之的手段。要享受人生，就不得不把這個思考邏輯想通，否則經常讓自己陷入迷思，日子可就難過了。

▋ 為自己負責

　　人生的各個面向，無論家庭、生活、健康、工作等等，都有一個最低需求的臨界點，沒有達到這個臨界點，就會有礙健全。

　　例如，過度工作讓健康無法達到最低需求臨界點，就已經在啟動不健全的系統，到頭來工作和生活也被健康拖垮。又如，假設一週休息一日就足夠，再多花一天休息，就相對減少充實自己的時間，而無法達到提升能力的最低臨界點。

　　不健全的後遺症並不能在短時間內看出來，但總會在未來某一天發生影響。所以人生要過得平安順利，就要根據自己的狀況隨時進行調整。例如，我曾經因忙於工作，運動太少，影響到體力及健康，當時我對健康投資得太少，現在就必須多付出時間來彌補。

　　每個人為人生各個面向所設定的最低需求臨界點，以及各個面向的平衡比例都不同，但若希望過快樂人生，就必須有效管理平衡點，當選擇一個平衡點之後，必須對這個決定負責。

　　我要特別強調，所有的選擇都應是出自「自主」的選

擇，不是別人的期望或媒體扭曲的訊息。人生是由一連串的選擇組成，自己的路自己選，每個人都應為自己四十歲以後的命運負責。

有效管理的方法有三：第一想通；第二溝通；第三學習心安。

■ 對平衡點做好心理準備

舉例而言，當你選擇多一點家庭、少一點學習和工作的平衡點，日後你的同學都當上經理而你還不是時，心裡必須要能平；而且不只自己能平，還要透過溝通，讓另一半、孩子、親戚朋友都能平。

畢竟，每個人的選擇和際遇都不同，如果周遭的人都不認同自己的選擇，不是嘀咕抱怨就是好心出主意，這樣的人生大概也樂不起來。

因此，無論選擇哪個平衡點，都要為各種可預見的結果做好心理準備。如果自己的能力不亞於別人，但因為少付出一點努力致使機會比別人少，也不能怨天尤人；相反的，如果選擇在職場中多學習、多發揮，就不要羨慕別人日子過得輕鬆。

人生本來就是有捨有得，總要學習心安，小自日常瑣事，大至人生經營，都是如此，如果不能學會心安，生活中就會充滿挫折感。

無論選擇什麼樣的人生模式，都必須考慮到「永續」，

例如，天天玩耍、不學習的生活模式就無法永續。永續的模式是會透過一些機制，不斷回饋到生活品質。

例如，效率的提升或成就的提高，可以用更短的工作時間創造更高的價值，然後挪出一部分省下來的時間，思考進一步提升效率與創造價值，於是整個人生模式就會進入正向循環。

從這個角度來看，我們就不能不思考，某種程度的名與利是否有助於自己生活品質的提升，或是有助於兒女未來的生活品質。這是很現實的，所以我主張「追求名利光明磊落」，也是一種「投資到未來」的思考。

如果一個人對人生沒有自己的主張，老是被大環境逼著走，就會經常在矛盾中掙扎；如果人生無法均衡，走起來跌跌撞撞，這樣的人生終將充滿遺憾。

所以，幸福快樂的日子來自於自主的選擇、平衡的生活、心安的人生。

▌跳脫本位，尊重多元

在我個人觀察裡，目前的台灣世代間會產生嚴重的價值觀落差，主要是太過本位與主觀。這個現象沒有世代的分別。因為我們從小就在照顧私利的環境中長大，再加上以往整個社會價值觀太過單一，並沒有培養出尊重多元化的習慣，老是覺得別人都不對，於是整個社會集體思維就很本位，存在很多刻板印象。

　　其實，世代間的問題不是今天才有，代溝這個名詞由來已久。現在台灣會格外嚴重，是因為過去媒體不發達，公共言論被少數人所操縱，常常是「一言堂」的輿論。

　　現在媒體發達了，卻沒有在多元化時傳達多元化的價值，對於新生的議題與現象，缺乏意義上的深度解析，而是用「炒作新聞」的態度處理，久而久之，各種刻板印象就形成強烈的對立。許多不同的媒體，用類似語言闡述大同小異的觀點，落入另一個「一言堂」的窠臼。

　　所以，年輕人是「作怪」的、中年老人是「古板」的；老闆是「剝削」的、員工是「貪婪」的。所謂的「多元化」被解讀成「我有批評的權利」，但卻忽略了「尊重別人在想什麼」。

　　如果你面對年輕人，一開口就是「你們年輕人就是好逸惡勞」，溝通的門馬上就關起來，先要有全面、整體的了解，才不會總是站在自己的本位，讓彼此的裂痕愈來愈深。

　　所以我不遺餘力鼓吹「鮮活思維」與「反向思考」，希望多一點人願意用鮮活思維思考人生，從不同角度看事情，而且不能光有見解，還要能看出多數人行得通的道理。

年輕不「作怪」、中老不「古板」

　　此外，我非常強調溝通。世代間的溝通很重要，大家都知道，問題是能產生多大的效果，怎麼溝通比較有效。

　　首先要有溝通的意願。究竟是抱著要了解對方的想法，

還是準備訓話，兩者所產生的結果差別非常大。溝通要有效，把耳朵打開、把心打開，比開口更重要。

其次，話是要講給對方聽，而不是講給自己聽，所以對方的背景和需求都要很客觀的了解，如果沒有把握，盡量把對方的定位放寬，例如，我今天和一群學理工的人溝通，可以用他們理解的工程語言，如果我不清楚對方學什麼，就講一般人都可以理解的話。

第三，溝通內容所要傳達的訊息，最好精簡、掌握要點、合乎邏輯。我不太喜歡用深奧的學術理論，我用的詞句很短、不複雜、一聽就懂，這樣就能因應不同場合，隨時把這些要點做不同程度的詮釋。因此我也發現，同仁或記者在轉述我的想法時，往往詮釋得比我更好，這對擴大溝通層面有很大幫助。

對我來說，溝通必須是習慣、是常態，逮到機會就溝通，否則等問題發生才溝通，一方面大家可能已有預設立場，另一方面心情會比較急切，溝通效果會減弱。

有了良好的世代溝通，看年輕人，不再作怪；看中老年人，一點也不古板。

▌發展「愈休閒、生產力愈高」的模式

永續的人生模式同樣也適用於企業經營，面對二十一世紀的競爭局勢，企業所要思考的是，如何塑造高效益、高成就的發展模式，以較少人力創造更高價值，如此才能讓所有

企業成員不僅樂在工作，也享受到生活與休閒。

　　但是，這樣的環境並不會憑空發生，它同樣需要「投資到未來」。

　　我並不認為勤勞或節儉是絕對正確的，而是相對的。舉例而言，美國人休閒時間長、生活品質高，卻沒有因此喪失國家競爭力；但是歐洲人在重視人生享受之後，企業競爭力卻明顯喪失優勢。因為這種副作用並不會短期內發作，而是幾年、甚至幾十年後才產生變化，等到歐洲人發現失業率節節上升，惡化到美國的兩倍、日本的三倍，已經很難收拾了。

　　這也就是說，追求享受的模式需要一點基礎，對個人、企業與國家而言都是如此，如果已經發展出「愈休閒、生產力愈高」的模式，以上討論的話題就不成問題；但是如果發現大環境並非如此，當其他企業以其他模式超越我們，結果比我們更能享受人生，我們還是會被逼得非調整不可。

▓ 為下一代投資到未來

　　健全的人生需要均衡，健全的企業發展同樣需要均衡，如果在企業裡，員工要求工作比別人輕鬆、待遇又比別人高，結果公司卻撐不下去，長期而言，對員工並不是件好事。

　　一個人要追求成就較高的生活模式，必須將自己的選擇和家人溝通清楚，同樣的，一個企業要追求更高層次的國際競爭力，也必須和同仁溝通清楚。

　　我經常藉著各種機會與宏碁年輕同仁溝通，應該理解、

認同資深同仁投入工作，「為下一代投資到未來」的心情；也鼓勵各單位主管，要重視年輕同仁關心工作效率的反應或批評，不僅要有接納的雅量，更要舉一反三，將潛藏問題一併改善。

換言之，建立精益求精的「學習型組織」，就是解決企業內部世代間價值觀落差的不二法門。

在宏碁「網路論壇」上，我這麼告訴同仁：「你追求生生不息的人生享受嗎？宏碁也是。如果有朝一日，我們一起發展出『休閒愈多、生產力愈高』的模式，那麼，無論貢獻的價值或現實的回饋，都真是堪稱人生無上的享受。」同樣的期許，獻給正努力尋求永續競爭力的台灣。

第三章

鮮活的職涯觀

—— 零組件似的生涯規劃

多元化的時代，

沒有人可以事事包辦、事事全贏。

每個人都應該找出自己的專長，

並把自己當成一個組件，建立好核心能力；

企業也是一樣，必須設法做好系統整合，

發揮自己的強項，把別人的盲點變成自己的機會。

　　現在凡事都講究競爭力。撇開國家和企業不談，個人要如何提升競爭力？還是先從企業的例子說起。我常被問起：宏碁創辦比神通晚，為何後來能迎頭趕上？其中一個原因是，宏碁靠「組件模式」起家，而神通最初則是採行「系統模式」。

　　這兩個模式差別何在？電腦系統業務的開發，例如養豬場拍賣系統、高速公路收費站系統，看起來毛利高，但當中未確定因素很多，最後淨利不一定高；更重要的是，系統業務需要投入較多資本，但所開發的系統只用在一張訂單上，日後無法大量重複利用來回收投資。

▌全能與專業

　　宏碁以微處理機起家，後來進入個人電腦和周邊產品。相對於電腦系統整合，這些產品都是組件，和系統最大的差異是，每一件開發產品都可以透過量產來回收投資，於是便創造了經濟規模和投資效益。這就是「組件模式」。

　　組件模式也適用於提升個人競爭力。多元化的時代裡，沒有人可以事事包辦、事事全贏，一個人必須找出自己的專長，並加以模組化（modulize），大量發揮附加價值，非專長的工作尋求與他人合作，才能建立自己的競爭力。

　　舉音樂創作為例，「系統模式」就是由一人包攬詞曲創作、演唱、錄音，也許風格突出，但精緻度和效率往往不是最好，而「組件模式」是每個人負責最擅長的部分。

　　舉例而言，我專事作詞，便把作品如同組件一般經營，訂出規格，例如計價、創作時間、風格等等，讓界面標準化，在與作曲、演唱者溝通時，讓來來往往意見溝通的誤差減到最少，如此就能以最少成本創造最大價值。這樣的好處是專業和規模的累積，當你在市場上建立起專業的認同（identity），也就建立起你的競爭力。

▍建立核心能力

　　也許有人會說，人力資源專家普遍認為，目前的趨勢是講究通才或全方位，把自己當作組件，不是自我局限嗎？

　　其實，全方位是一個相對的概念，目的是讓成員了解系統，從而認清自己扮演的角色，並不是要扮演所有的角色。對企業來說，即使最全方位的總經理也是組件，職務是企業活動的整合，在組件模式裡，系統整合也是組件之一。

　　以我來說，我的能力相對我的同仁是比較全方位的，但我現在扮演的角色是企業和投資者的橋梁，以及企業和市場的橋梁，大家還是分工的。

　　把自己當成一個組件，是為了建立核心能力。一個人總會隨著任務轉換，擔當更重要的角色，運用過去累積的能力為基礎，效益總是比較高的。如果沒有核心能力，即使職務層次提升了，能力卻不能勝任，角色扮演失敗，那才真的會造成自我局限的結果。

　　我相信，世界有許多事物道理的本質是相通的，「鮮活

思維」可以幫助我們在面對複雜環境時，觸類旁通、找出盲點。將「組件模式」從企業經營延展到人生經營，就是一個例子。

■ 最佳男主角

「組件模式」的思考，幾乎可以應用到生活周遭每一件事情上。

舉奧斯卡金像獎為例，「最佳影片」就是一個系統，「最佳男主角」、「最佳攝影」……，都是組件。這種思維的好處是，當你將一個系統剖析成一些要素，就能夠從中釐清一些關鍵要素；關鍵要素掌握得當，整合起來的系統也會比較強，所以我們可以看到，在影展中得到最多單項獎項的電影，通常也會是最佳影片。

如此舉例，可能有人要說：「不過是把一件事情拆開，有什麼難的？」但一般人卻往往陷於籠統的概略思考。例如，我們對一個人下這樣的斷語：某某人是個好學生，這就是概略的觀念，到底哪裡好？體育好、理科好，還是友愛同學？能夠精確指出，才是組件觀念。

概略思考看起來好像很系統，其實並不系統，以組件做為思考出發點所組成的系統，才比較系統。因為經過解析、精簡之後組合起來的系統，會比較有邏輯而精準。換言之，透過組件模式的思考，才能夠真正深入掌握系統；相反的，如果缺乏組件的掌握能力，就會流於籠統思考。

　　將「組件模式」運用於人生經營的好處何在？讓我們回歸到這個模式的發源地——產業，進行實際印證。

　　企業最重要的附加價值所在，往往是組件而非系統；一家公司能夠建立鮮明的形象，也在於某個獨特的能力。

　　如果系統裡的每個組件都只是普通，整合起來的系統也不可能出色。職場生涯也是如此，我們常說「某人為人如何」，「為人」表達的就是系統，要給別人深刻的印象，就要有個特點或過人之處。如果一個人各方面都只是平平，姑且不談公司不知道對他從哪點重用起，甚至自己都不清楚可以掌握哪些機會。

　　多元化社會的好處是，只要你有特色，而這個特色也有價值，總會有人欣賞、接受你做人的方式。所以，我們必須找出自己專長，無論是歌聲好、長於機械設計，或辦活動有創意，選定一個市場來做貢獻，才能將自己的附加價值發揮到最高。

▍提升專業，進步加速

　　為什麼當個人電腦進入分工整合之後，功能大增，每幾個月就進行一次產品世代交替？因為當系統裡每個組件都由單一企業自給自足時，資源運用分散，進步的速度慢；而當系統拆解成組件，每個組件的生產廠商便可以集中資源、專注於提升專業的實力，不斷鑽研出更好的組件，整個系統進步的速度便加快許多。

　　如果我想當一個出色的記者，報導範圍遍及各個領域，必然每個領域都無法精耕，結果成篇累牘都是泛泛之論；但如果用組件模式思考，選擇專攻一個領域，例如企業管理，自然會努力研究各種企管理論，深入了解企業實務，我所做的報導比別人深入，讀者閱讀之後有所收穫，會更期待我能持續推出精闢的分析，久而久之便樹立起專業報導的權威。

　　唯有如此，才能收資源累積之效。有朝一日，當你希望跨入其他領域，運用過去累積的知識和人際關係，會產生事半功倍的效果。如此，人生的路途才能愈走愈寬廣，而不是一開始什麼路都要闖，結果路愈走愈窄，最後還可能走進死胡同裡。

▌取人之長、補己之短

　　企業的資源有限，不可能憑一己之力把系統裡的組件樣樣做齊，還能做到最好，因此最有效益的做法是，分析每個組件的品質，如果自己最有能力做好，當然自己做；自己做不好，別人做得更好，就採用別人的組件。

　　相對的，如果自己並非最擅長整合系統，就專心經營自己所擅長的組件，扮演好供應商的角色，幫助客戶賺錢，自己也有利可圖，這就是分工整合的精義所在。

　　同樣的，一個人也不可能追求所有的目標，在確定自己的專長之後，能力不及之處就必須借重別人。因此，第一要承認自己的弱點，找到互補的夥伴；其次要清楚彼此的專

長，讓彼此互動界面容易管理。

　　這件事說來容易，做起來卻難。經常可以發現企業內部出現如下狀況：業務人員不是批評客戶難伺候，就是指責研發人員太本位，或財務部門太保守，類似問題可能出現在任何部門。如果組織成員沒有「組件」的自覺，不能認知到任務需要不同組件的配合，結果工作反而很難推動。

　　如果業務人員能夠思考到，對客戶提供長期良好的服務，是為了精確掌握市場脈動；與研發工程師密切溝通，才能使技術與市場有效連結。觀念一轉變，自然就會思考如何建立有效的溝通方式，減少訊息傳遞的誤差，最後達到「好東西與好顧客分享」。

　　人生如商場，是不斷合作與競爭的過程，要取得競爭優勢，必須先合作；要達到合作效果，必須先認清自己「組件」的定位。

▊ 包容大公差

　　任何組件要發揮最大的價值，最終仍需整合成系統。而各種零組件要組成系統，每個零組件都有個一定程度可容忍的錯誤差異度，可能是千分之一或萬分之一，稱之為「公差」。一個零件的誤差超過一點也許還可以運作，如果很多零件都誤差，整個系統可能就湊不起來。

　　因此，系統的精密與否，關鍵在於兩個條件，第一是公差，公差愈小系統愈精密，但更重要的是設計。一個好的設

計，公差可以大，但運作起來還是很精密，這個系統設計人就堪稱高手；如果設計不好，公差就必須很小，容忍錯誤的彈性也很有限。

從這個角度來看，軍隊堪稱公差最小的組織，每個人作息舉止都如出一轍，因此它的功能就比較單一；政府單位的功能是多元的，但也是公差極小的組織，各種法令常讓公務員動彈不得，產生的效益卻不一定高。因此在多元化時代裡，能設計出每個個體自由度（公差）大、多功能，又能精密運作的組織設計者，才堪稱領導高手。

■ 扮演對的角色

就如同組件要發揮功能必須託付系統，個人要發揮最大貢獻也必須與組織結合。對個人而言，多元化社會有個重要特質：沒有固定模式的系統概念，就如同一個國劇演員，這場戲是跑龍套，下一場戲可能扮小生。因此，要在不同系統當中永遠扮演對的角色，就必須深入了解整個系統。

上班族常常會消極的說：「當一天和尚撞一天鐘。」言下之意，敲鐘是無足輕重的，事實上，敲鐘是寺廟和神明溝通的重要時刻，如果不能認清整個宗教儀式神聖的意義，角色的扮演就會自我局限。

沒有系統觀念的演員，不知道整齣戲在演些什麼，連跑龍套都會跑錯；不懂得和市場、製作團隊整合的歌手，即使歌聲再好也無法詮釋出動人情感。相反的，當一個人對系統

了解得愈深入，所扮演的角色層次也會愈高，所以在一部電影當中，導演的地位相對是比較高的。

　　每一個個人或組織，都同時扮演系統與螺絲釘的角色，例如，宏碁是一個系統，但是從整個社會來看，它還是一個螺絲釘；台灣是一個系統，但相對於國際社會是一個螺絲釘。一個不會扮演螺絲釘的人，不能了解系統、對系統心存感念，會把角色扮演得很僵化、缺乏彈性。當社會上這樣的成員一多，運作起來扞格不入，就無法達到「創造集體最大效益」的目標。

▌創造「創意空間」

　　為什麼給孩子一組積木他可以玩上很多年，但昂貴的玩具汽車和洋娃娃卻總是很快就玩膩？因為積木可以發揮個人想像，變化成多種不同形式的組合，孩子玩起來有成就感，更能啟發孩子智力成長。

　　將組件模式運用在日常生活中，舉例而言，我經常在外面演講，以前媒體不像今天這麼發達，一篇講稿可以適用不同場合，因為聽眾都是第一次聽。現在，我的言論經常見諸各媒體，沒有端出一些不同菜色，聽眾是不能滿足的。於是，我把腦袋裡的知識變成組件，因著臨場的氣氛、觀眾的疑問，或新近發生的新聞事件，重新詮釋，組合出不同內容。

　　如果真要背講稿，不要說本業經營企業的我吃不消，大同小異的內容背兩次，以後就沒有人願意前來捧場了。

如果真要背講稿，我就無法享受與聽眾臨場互相腦力激盪、萌生創意的快樂，更無法提供豐富的題材來完成這本書，本書的問世，正是組件模式在各位眼前的實際展示。

在「組件模式掛帥」的電腦產業裡，戴爾（Dell）電腦無疑是這個模式的典範。

戴爾電腦以「先接單、後生產」的運作模式，直到交貨一週前，才將組件組裝成系統，交到客戶手中的，是才剛出爐、最新鮮的電腦；他們的庫存型態是隨時保持能派上用場的組件，而不是已經組裝完成的整機，將電腦滯銷帶來的風險減到最低。

這個模式的優勢是彈性大、庫存低、掌握市場需求時效。當市場不確定性愈高，以系統形式存在的產品風險也愈高，相對的，以組件形式存在的產品風險相對較低。對於個人電腦這個快速、高淘汰的產業而言，誰最能夠發揚組件模式的優勢，誰就是贏家。

■ 化整為零

從市場角度來看，所謂系統，是因應某個時空環境下的需求，將組件組合、表達出來。需求會改變，表達方式當然也必須改變，組件模式的優點是預留表達方式的彈性空間，即時整合出最符合市場需要的系統。

這就好比參加作文比賽，獲勝關鍵有兩個：首先當然要文能對題，其次就是有見地。前者就是符合市場需求的表達

方式，後者就是組件。事先，大家都不知道題目是什麼，如果腦筋裡有很多組件，就能根據題目組合出一篇切合題意、有見地的文章。用這樣的模式，在不同比賽、不同題目的考驗下，才比較有機會過關斬將。

在產業界，舊的典範是系統模式，其中以美國企業為代表。美國強盛的經濟實力，建立在品質高人一等的系統，例如汽車、飛機、大型電腦主機等等；但美國的系統強，是因為龐大的內銷市場，讓系統可以大量重複使用。

像台灣這樣國內市場如此狹小的國家，如果只需要一套系統，究竟是向外面買比較划算？還是自己生產划算？除非是基於某種策略思考，例如國家安全或是藉生產這個系統培養某種能力，否則答案無庸置疑應該是前者。

當系統模式主宰世界經濟時，台灣企業開始尋求不同的出路。既然發展系統受限於市場，何不淡化自己的弱點，化整為零，專業經營組件？如此，同樣可以擷取「大量重複使用」的優勢。逐漸的，上述組件模式的優勢慢慢出現，當習慣於系統模式的企業發現大勢不妙，卻因為包袱太大而無法立刻轉向。

■ 提升競爭力，創造新價值

何以系統模式的包袱大？因為他們總是相信自己是最好的，樣樣自己做。高估自己的結果，就不會把系統拆解開來精益求精，或是評估自己的弱點，借助他人優點來補強。

當市場多元化以後，理性消費者開始學會指定特定廠牌的組件，系統廠商也不得不融入組件模式，結果，「整合系統」這項工作也成為組件之一。

無論企業或個人，當它啟動組件模式思維，便會全盤解析系統，找出其中的瓶頸，與自己的優勢結合，將他人的盲點轉化為自己的機會，這就是這個個體的定位；當它將資源集中於經營這個組件，就能將組件的價值利用極大化。

如果這個組件因為競爭者增加而降低價值，就必須設法更新該組件或發展另一個組件，創造新的價值。這種不斷追求本質能力的提升，就是一個人或企業的核心競爭力。

舉例而言，對作家而言，知識與寫作能力是本，有了這個本，寫什麼題材可以視市場需求而移轉，就會是個暢銷作家；對歌手而言，歌聲與台風是本，有了這個本，可以隨市場需要創造流行的風格，這就是實力派歌手。

▓ 狡兔三窟的時代

現在流行職場轉換、生涯轉型，講究「狡兔三窟」，已不是「一個蘿蔔、一個坑」的時代，所以你得把自己當成組件，在不同系統中尋求新的核心競爭力。

舉例來說，我本來是歌手，因為知名度很高當選了民意代表，我的歌還是唱得比別人好，但現在的任務已經改變，服務選民才是我的核心能力，要服務選民當然不是唱歌給選民聽，也不是樣樣都服務，民意代表還是有財政、社會、教

育等等不同的專業，還是在系統裡扮演組件的角色。

　　以前，主角永遠是主角、龍套永遠是龍套，可是現在，大明星也會「友情客串」跑跑龍套，跨行當歌手，這就是以組件模式彈性組合出最佳的價值，前提是必須建立核心能力，才能把「三窟」經營起來。

　　組件模式是什麼？簡單來說就是：在時間與環境變動中，隨時將自己的專長組合出最佳價值。這就是生意，也是人生。

第四章

鮮活的成功觀

——開創自我人生的成功法門

在人生旅途上，

每個人都是棋子；

做棋子沒什麼不好，

別以為自己總是受人指使、被環境左右。

其實，只要扮演好自己的角色，

你也在指使老闆、左右環境。

　　一個企業必須有快樂的執行長（chief executive officer, CEO），才會有快樂的員工，但是經營企業壓力非常大，如何快樂起來？我的同仁有一個「CEO新解」——CEO就是 chief entertainment officer，帶頭娛樂大家的人，這可是深解箇中三昧者的自我解嘲。

　　一個嚴肅緊張的領導人，部屬避之都唯恐不及，更別說良好的互動。

　　有一回我到香港出席會議，有位社會新鮮人問我，經營宏碁這麼多年，最頭痛的事情是什麼？我回答他：「其實，經營企業是不斷的挑戰，可享受很多成就感，也常會有令人頭痛的問題，不過，頭痛往往也是一種享受。」我回台灣之後便淡忘此事，後來他寫信告訴我，這段話給他一些新體認，尤其對於和女友間的愛情，也算是無心插柳的逸事一樁。

▋ 凡事盡力而為

　　其實，經營企業和人生往往並無二致。凡事盡力而為，自助而天不助，也只有認了，與其懊喪、後悔，還不如把這個時間用來自我檢討，留著快樂的心情往下走。既然要享受人生，也要將挑戰當成享受，如果不抱著這樣的心態，人生也著實太辛苦。

　　我對不同的享受人生方式並無成見，有人喜歡「領多少薪水、做多少事」，只要不傷害他人，這也是一種快樂人生，但如果存著「人到世間是來受苦的」，我想這就不太健

康了。既然已經生下來，何不以欣喜心情看待生命？

　　人生難免有短暫苦痛，例如動手術，當然不能說是享受，但是如果換個角度想，開刀可以讓身體狀況比以前好，繼續人生的享受，還是值得期待的。

　　前不久在台灣暢銷一時的《腦內革命》一書便指出，如果一個人不能紓解壓力，就會分泌劣質的腦內嗎啡，這對身體健康非常不利；但是如果保持良好心情，便能分泌良性的腦內嗎啡，有助於延年益壽。我不能勸大家「Don't worry！」因為憂慮難免，從預防風險的角度來看，憂慮有時是正面的，但我要說「Be happy！」

　　人生如此多采多姿，何妨快樂走一遭！

▋人人都是 CEO

　　或許你正納悶：「我又不當老闆，怎麼會是CEO？」

　　千萬不要懷疑。讓我們先來定義，CEO的任務是什麼？是經營企業；企業的任務又是什麼？是在客觀環境與有限資源的情形下，為了追求特定使命，透過管理與組織的力量達到最高效益，也就是所謂的「企業精神」。

　　在這個定義之下，非僅限於企業，無論是政黨、公益團體或軍隊，只要是追求「為有限資源創造最高效益」，各種組織皆可適用。

　　因此，即使不是整個組織的負責人，如果你是部門主管，就是這個部門的CEO；就算是基層職員，也會獨立負責

一些工作，你就是這個工作的CEO；就算你不工作也不兼差，一家之主也是家庭的CEO。

總之，只要你有為某個組織或任務的成敗負全責的胸懷，你就是這個組織或任務的CEO。

自我負責就是快樂CEO

舉例而言，我是一個校長，我盡可以推說，我不是CEO，因為預算和法令規章的限制，讓我根本沒有權力作主；但我也可以說，我是CEO，因為我在重重限制的大環境下，畫出一個小小的自主空間，在這個空間裡經營出比其他學校好的教學與學習環境，也願意扛起學校興衰之責，我當然是這個學校的CEO。

就算你既未成家也未立業，你一定是自己人生的CEO，因為除了你，再也沒有任何人可以為你的人生負責，即使你想逃，也不可能逃得掉。

既然你非坐在這個位置上不可，如果不能當個快樂的CEO，那豈不是太和自己過不去了？

反過來說，唯其一個人願意承認他是CEO，才會產生責任感；唯其一個人不推卸責任，才會自我檢討；唯其自省，才能進步成長，而進步成長就是快樂的來源。

無須羨慕財富排行榜上的企業鉅子，這世界有太多有錢卻不快樂的CEO。在人生旅途上，你是別人的棋子，別人也是你的棋子。千萬不要以為自己受老闆支使、被環境左右，

事實上，你也在支使老闆、左右環境。

　　只要能盡力扮演人生的各個角色，享受箇中滋味，無論在哪個位置上，你都是快樂的CEO。

■ 要件一：看清事實

　　企業和人生有許多相似之處，兩者都必須建立內在能力，也必須借助外在環境；兩者都必須具備自己的特色，但又必須全方位均衡發展，有所偏廢易導致全盤拖垮，和他人的關係都是既競爭又合作；最重要的是，兩者的經營都靠長期累積，追求永續發展。

　　這些都是無可迴避的現實，因此，CEO的第一個要件，就是認清並務實看待這些現實。

　　企業在規劃策略時，有所謂「SWOT（優點、弱點、機會、威脅）分析」，這個思考工具是協助CEO釐清：環境有多少限制？自己有多少資源？目標何在？在種種條件之下，如何讓資源做最有效的配置，盡力讓結果離目標愈近愈好。

　　本著盡力而為的原則，就算受限於環境不能達到預期目標，至少也可以心安，而心安是快樂的基礎；如果做得比預期好，自己有所成就，也贏得他人讚賞，更是人生一大樂事。更重要的是，盡力會讓自己爭取到更大的舞台，就算在原來工作崗位上得不到，也可以另外找到更大的舞台。

　　這樣的處世哲學是相當重要的。無論是人生旅途或企業營運，總會有許多意外發生。舉帶兵作戰為例，假設我帶了

一百精兵，目標是攻占一個山頭，但因為忽然變天，加上地形險峻，奮力作戰卻損兵折將結果只剩五十人回來，雖然攻堅不成，但如果別人在相同環境下結果是全軍覆沒，我當然還是稱職的CEO。

　　一般人心目中，領導人都是強者形象，如果有所示弱就「罩」不住部屬；但在我的想法裡，稱職的CEO要懂得承認自己弱的一面，也就是在進行SWOT評估時，要特別注意「Ｗ」（弱點），不能因為自己不感興趣而把問題擱置一旁。因為經營企業必須照顧全面，一個弱點就可能成為企業發展的瓶頸，唯有特別留意才會設法彌補。

　　舉例而言，學理工的經營者通常都以技術見長，但比較不擅長財務管理，那麼就要特別加強這方面的能力，如果實在能力有限，就必須趕快尋覓高手來補強。如果不願正視這個弱點，既不肯充實自己，不懂還要裝懂，一旦釀成財務危機，就算技術再怎麼精良，還是無法保住企業。

　　人生也是如此。人生的經營策略就是尋找可以終生追求的興趣，如果自己有某個弱點會造成追求興趣時的障礙，就要設法克服。

　　例如，我希望當企管學者，但是英文不好，這會讓我無法學習國際上的企管新知，那我非努力把英文學好不可，如果無法克服語言的障礙，就必須選另一條路，否則就是和自己過不去。

▓ 要件二：勇於擔當

　　如果一個人不能認清環境、認清自己，將會落得成天怨天尤人，不是抱怨別人不夠朋友，就是歸咎時機不好，這完全無助於解決問題；更重要的是，逃避責任的結果會讓自己失去再出發的勇氣，別人也失去對你賦予重任的信任。因此，做一個快樂CEO的第二個要件，就是要有擔當。

　　以前述帶兵作戰的例子來說，如果我將任務失敗的責任擔下來，生聚教訓秣馬厲兵，下一回有攻堅行動還是非我莫屬，起碼我還有精兵五十，更何況我從失敗中焠煉出許多寶貴經驗，有助於提高未來的勝算。但如果我只是一味推卸責任，姑且不論上級對我的能力產生懷疑，部屬看在眼裡也會心生氣餒，喪失捲土重來的士氣。

　　有一句話，我總是不厭其煩的提醒宏碁每一代經營者：「一個CEO最基本的修為，就是必須學會面對壞的事實。」面對好的事實並不困難，無非論功行賞、乘勝追擊，但如果陷入險境，究竟要退守還是突破？往哪裡退？往哪裡突破？如果不去面對它，終究無解，坐困愁城的結果，恐怕也難逃被殲滅的命運。

　　經營企業二十幾年來，我經歷過許多非常棘手的狀況。當1990年宏碁經營陷入困境時，我經常必須面對記者非常不友善的問題，以及尖銳、不信任甚至曲解的報導，而為了解決問題，還要做出許多痛苦的決定（例如精簡人事的勸退計畫）。

　　但這些挑戰與決定都無法逃避，逃避並不會讓問題自動消失。如果我不溝通，只會引來更大誤會；如果我不做決策，只會帶來更大問題。就算再怎麼難，唯一的出路就只有面對事實。

　　經營企業最具挑戰性之處，就是解除舊狀況之後還會有新狀況。宏碁在改造工程之後脫胎換骨，但新時空、新運作還是不免出現問題，例如1996年宏碁在美國市場占有率下滑，庫存問題造成虧損。為此，美國宏碁經營團隊做了一番調整，整個集團也因而再一次進行組織改造。

　　人生與企業一樣，都是起起伏伏，如果不願意面對困難、突破困境，就不可能有新生的喜悅。

▌ 推諉只是浪費時間

　　我們經常把組織領導人稱為「當家的人」，即意謂這個人必須有擔當。經營企業這麼多年，我最深刻的感受之一就是，常有意想不到的責任、在意想不到的地方發生，有時甚至連員工家裡的事情都是自己的責任。

　　許多時候，努力將事情做好還不夠，還要去了解同仁在乎什麼，照顧他們所在乎的，如果環境有所限制，必須想辦法克服，因為沒有同仁的支持，事情是很難推動的。

　　身為CEO，當問題發生時，找藉口辯解是完全沒意義的，不但浪費時間，而且無助於了解真相和改善行動。如果是為了溝通，傳達正確訊息避免誤會，當然是必要的，但如

果只想推卸責任,結果別人卻不這麼認為,那麼講了也是白講,不如及早行動,還會讓自己的處境好過一些。

相信大家都明白,身為CEO,推諉是相當拙劣的領導方式,但在我們周遭類似實例卻俯拾皆是。舉例而言,每當社會上發生危機事件,相關政府官員總是可以提出許多理由,證明錯不在己,但問題是,社會大眾可曾因而認定政府可以少負一點責任?那麼,費心思考那麼多託詞到底所為何來?

另一方面,當我們在觀察社會百態時,都明瞭任何堂皇藉口都難逃社會公評,儘管如此,當自己面臨需要擔當的時刻卻往往做出相同的舉動。為什麼?因為沒有強烈認知到自己就是CEO,要對自己的人生負責,如果能想通這一層,就不至為了找藉口而延誤創造更美好人生的契機。

▍要件三:樂在溝通

要扮演好CEO的角色,除了善用資源、突破困境之外,還要塑造環境,因為人不會總活在只有自己的環境。塑造環境的方式有許多,其中最關鍵的工作就是營造互信的基礎,互信從何而來?無非溝通二字。因此,CEO的第三個要件,就是樂在溝通。

想想看,如果遭遇困難時,能夠靠動動口就排除障礙,豈不是比較輕鬆?當需要資源時,開口便能取得,豈不是比較有效率?想要擁有快樂人生,就非溝通不可。當然溝通並不一定靠嘴巴,行為與態度往往是更重要的溝通工具。

　　溝通的重要性人盡皆知，但多數人可能都說過這樣一句話：「我很願意溝通啊，都是別人不溝通。」別忘了，你可是必須負起全責的CEO呢，想要借重別人，主動溝通可是天經地義的。

▓ 放開心胸

　　良好溝通的前提是開放的心胸，相信多數人都認為自己很開放，但自以為開放的想法往往是溝通不良的主要原因。試想，有多少自稱民主的領導人，部屬卻噤若寒蟬、不敢多發一語？有多少人自認為開放，但當別人熱心提供意見卻總是冷面相對？當對方碰過兩次釘子，就懶得再浪費唇舌了。

　　除非你就是喜歡組織「一言堂」，就是不愛別人和你意見有出入，否則可得好好重新思考，你是不是真的開放。

　　我檢視自己是否開放的方式很簡單，當多數人都說我很開放才算數。對我而言，在執行面上尊重同仁的意見，已經成為習慣。

　　舉例而言，如果同仁認為應該往東北走，而我認為往東比較好，只要差別不是太大，就先按照同仁的意思往東北走，如果真有問題，再找機會稍做調整，並且清楚告訴同仁：「你是對的，只是現在又有新變數，略做改變會比較好一些。」

　　這不單是語言溝通，更重要的是行為和態度的溝通，對同仁是一種肯定，也是一種訓練。

　　宏碁非常重視開放與溝通，不僅在內部如此，對外更是如此。我們有一項行之多年的做法，各公司總經理是企業當然的發言人，一般而言，企業多半是由公關人員擔任發言人，但我們認為企業是生命體，它的生命和個性是由CEO所塑造，要把企業精神完整而清楚的和外界溝通，總經理責無旁貸。

　　因此，像我這樣生性害羞的人也不得不拋頭露面，也可以說，不願意和外界溝通的人，就不具備擔任宏碁總經理的條件。

　　也因此，常有同仁抱怨，公司的消息總是透過媒體才得知。事實上，有許多訊息並不是我們希望發布，而是宏碁對同仁接受媒體採訪的態度是開放的，當記者來「挖」新聞時，除了少數事關重大的機密，同仁都知無不言。

　　但也由於透明化營造出良好的溝通，我們發現，媒體對宏碁發生錯誤報導的比率大概只有3%～5%，這麼一來也正達到借力使力，提供同仁更多管道了解公司。

　　良好的溝通可以讓我們少做很多白工、少走很多冤枉路，人生苦短，何不投資些許時間溝通，減少嘗試錯誤的時間與資源浪費，換得更多享受的時光？

■ 要件四：無形勝有形

　　成為快樂CEO的第四個要件，是必須懂得如何經營無形資產。

　　絕大多數企業CEO都致力於有形資產的累積，正如同多數人也都追求有形物質的享受，但相較之下，無形資產的享受更為豐富、廣泛與持久，更值得追求。

　　對於企業而言，無論房地產或資金，需求總有個限度，過多的有形資產，不管閒置或管理都需要成本；而智慧財產權、企業文化、士氣、信心等等無形資產，卻永不嫌多，永遠都有進步空間。

　　對個人而言，知識的追求更是永無止境，知識愈豐富，人生愈充實。

　　其次，有形資產的享受，多數時候只能獨樂樂，不能眾樂樂，用商場語言來說，就是無法做到「多贏」。

　　比方說，我們可以經常向其他企業取經，或是將智慧財產權授權許多公司共同使用，但是我們正在使用的土地別人就不能利用，有形東西一占有就無法眾樂樂。

■ 不以物喜，不以己悲

　　第三，有形物質易於比較，無形資產難以比較，而比較是不快樂的泉源。

　　從某種角度來看，比較也是進步之源，但是有形物質的比較，輸者眾、贏者寡，負面影響往往大於正面。而無形資產的享受，例如看電影，你快樂、我也快樂，無從比較誰比較快樂；就算要比較，例如知識的追求，也許你的知識比我豐富，但我不會因為你的快樂而減少自己追求知識的快樂，

甚至我還可以從你身上學到很多知識，得到更多的享受。

▊ 轉換價值，歷久彌新

第四，有形物質容易折舊、過時、不新鮮甚至報廢，但是無形資產不僅不容易折損，甚至還會歷久彌新。以知識而言，過去的知識是發展未來新知的基礎，就算過時，還是有其價值。

但是，必須有一套經營的方法，才能讓長久享受無形資產的快樂得以持續，因此就需要將一部分無形資產轉換成有形價值。

當然，人各有志，如果不追求有形物質，也不和他人比較，日子還是可以過得很好，經營得法與否就不那麼重要；但是如果你要追求物質享受，就得設法建立轉換無形價值的機制。

例如，熱愛電影創作的人，希望追求這門學問的恆久享受，就必須找到市場來發揮專業，如果堅持特有格調卻得不到共鳴，最後不免抑鬱而終。這就好比企業擁有許多智慧財產權，但若只是束諸高閣，不能轉換成有形資產，例如產品或權利金，企業發展就會有風險。

我想，處在這種情形下的CEO，快樂時光恐怕是非常短暫的。

▎要件五：美夢成真

在眾多無形資產當中，其中有一項扮演非常關鍵的角色，那就「願景」。人生快樂的泉源有很多，最大的快樂莫過於有所追求，而終能心想事成。快樂CEO的第五個要件，便是建立願景，並致力實踐。

共同願景是組織發展最重要的驅動力之一，也是組織貢獻人類的價值所在；同樣的，對於個人來說，願景是追求人生享受的動力，也是個人生命的意義所在。

願景是一個人在未來（通常是五到十年）的追求目標。從小老師就教導我們要立志，不過那只是實驗，相信很多人是人云亦云、胡說一氣。

我經常被問起是不是從小志向就很高？憑良心說，我小時候沒什麼志向，因為我覺得那是一件浪費時間的事情。那時，母親希望我專心念書，將來做個有用的人，這就是我幼年時期的願景，儘管是別人設定的，但它還是願景。因為我的確照這個方向、盡最大努力去做。

讀高中時，對於人生我開始有自己初步的想法，因為理科念得比文科好，希望將來當工程師，但當時那種願景是模糊的，也沒有當真；到了大學改變心意想當教授，後來也沒有成真。雖然如此，這些心願讓我在專業知識上有所追求，等於是蹲馬步的功夫。

我第一個清楚的願景，是大學時想結婚，於是就很認真開始找女朋友，真的，這可不是開玩笑。為了達到這個願

景，得找合適的對象，誠心交往，這是需要投入精神和時間的，努力了幾年，願景成真。然後，我又有新願景，希望孩子健康快樂的成長；創辦宏碁以後，大約有五年時間在追求「微處理機的園丁」這個願景。

▌盡責人生，不亦快哉！

人生不同的階段都會有新願景，新願景的產生是因著自己的能力，以及時空環境而調整（所以認清環境、了解自己是CEO的首要條件）。

現在我所努力的，是讓宏碁成為家喻戶曉的品牌，讓新鮮科技為世人所共享。我計劃在六十歲從宏碁退休，未來希望能夠專注於經營經驗的交流、傳承與分享，為跨世紀的台灣累積更多無形資產，建立活力煥發的競爭力。

一個稱職的組織領導人，必須營造世代交替的環境，讓組織能夠永續發展；同樣的，讓子子孫孫一代比一代好，更是每位人生CEO的使命。然後，回首來時路，便可以了無遺憾的說：「我已盡到人生的責任。」

如此人生，不亦快哉！

你快樂嗎？憑良心說，我很快樂。歡迎加入快樂CEO的行列。

王道心解

自私自利不是錯

　　在組織中，領導人應該是一個不可或缺的關鍵角色。一般來說，他必須能夠讓一群人群策群力完成組織的目標，但他所仰仗的，並不僅是組織結構、策略規劃、績效評估等等有形的制度，更要給予組織成員方向，提供動力、強化凝聚力，在日常生活中，形成一股無形的影響力。

　　然而，領導人也是平凡人，也可能會犯錯。即使在王道思維之下，也不能保證領導人不犯錯，但是能夠確保領導人所犯的錯，只是一時的影響、受到一點小教訓，是可以補救的，而不是會讓人後悔一輩子、無可救藥的決策。

　　領導人，將以他的鮮活思維賦予組織文化與生命，尊重多元、建立共識，打造有效率的工作環境，幫助組織成員發揮潛力，追求群體效益的最大化。

均衡以息爭

　　以我自己為例，在溝通的時候，會先從原則性的東西形

成共識，讓大家了解要建立什麼樣的共同價值觀；之後，再研究如何落實到實際的情境中。

這個過程，是可以彼此討論、商量的。你不能把所有的好都要了，這樣就會不平衡；大家都要這個，你就不能要那麼多，那樣才能讓大家都保持平衡！

這樣的領導人，可能跟傳統定義的「專業經理人」不盡相同，因為他們往往把重心放在如何依循組織目標、計畫甚至是預算，透過監督、溝通等行為，執行並完成自己的任務。簡言之，就是努力把事情做好。

但是，符合王道精神的領導人，卻必須具備更高的主動與開創能力，要求自己努力把事情做對。

從某種角度說，領導人常常要做他沒有興趣的東西；即使他原本對王道沒有興趣，但是為了長期與永續的發展，還是得做。

然而，即使是「被迫」做自己沒有興趣的事，也不能做得不甘不願，必須要能「悟」，也就是自己要先想通。

不求成功，卻更成功

換個角度說，也就是「自私自利」其實不是錯，差別在於求的是大利或小利；如果能夠先想清楚，懂得「利他是最好的利己」，這就是符合王道的思維。

成功不必在我，如果你把成功也占為己有，排除他人，

那樣也是利益不平衡。因此，所謂的利益平衡，必須要考量有形／無形、直接／間接、現在／未來六個面向，而不是只有考量眼前的名、利，甚至是機會。

範圍有限，效益無限

這種思維並不花錢，只是會限制領導人的行為，讓他知道合理的界限在哪裡，避免違反法律或侵害他人權益。

王道思維，其實是提供一個指導原則，讓人知道可以在什麼樣的範圍裡追求創新，尋求更有效率的方法。或許，這不是最賺錢的方法，但長期來說，卻可能為利益相關者創造更大的效益。

CHAPTER **2**
創造高附加價值

個人和企業都是社會的一份子，
競爭不是為了獨贏，
是為了進步，
而分享則會讓大家一起進步，
創造更高的附加價值。

第五章

鮮活的企業觀

——追求永續經營的企業理念

沒有人可以只靠機會和運氣過一輩子，

企業也是一樣；

任何企業都要從資源有限的角度，

思考四兩撥千斤的策略，

並做好隨時可能進入主流戰場的準備。

但面對挑戰的同時，別忘了，

企業也是社會的一份子，不能獨善其身，

必須兼顧社會使命。

　　創業時如何選擇合適的合夥人？為什麼許多人創業都好景不常？

　　以一個過來人的立場，我想提醒有志創業者：從無到有的創業型態，真的很辛苦。以上班族而言，比較理想的方式是企業內部創業，因為從種子開始發芽，總是需要較長時間，一有風吹雨打也容易夭折；而插枝或分株移植的方式，因為本身體質有一定程度的基礎，發展也相對比較平順。

■ 創業一二三

　　如果不是內部創業，最好也能幾個同事一起創業，這就是宏碁的創業模式。我並不太主張臨創業前才對外招兵買馬，因為創業夥伴間一定要有足夠的互信，有共事過彼此比較能夠深入互相了解。

　　其次，草創初期環境艱困，成員不同的意見也多，損兵折將在所難免，因為創業耗費的資源常會比原先估計的多出許多，創業者必須為人才與資源的損耗預為綢繆。簡單的說，如果建立基礎需要十，起碼要投資十五。

　　第三，每位夥伴要有不同的附加價值，有人長於技術、有人負責業務，也要有人照顧財務與管理，各自分工，湊起來才可能有優勢。雖然彼此分工，但必須有個龍頭，幾頭馬車的創業模式，當意見不合又擺不平時，就不免拆夥、各奔前程。

　　創業好景不常的原因，歸納起來都是同一個：基礎建設不夠穩固。企業成長一如國家發展，端賴健全的基礎建設。

我們常見企業因能掌握時機而快速成長，但如果基礎建設不能積極投資跟上，千萬別高興得太早，這種成長只是假象，遲早會垮下來。沒有堅固的基礎而能獲利，這是一時僥倖，但企業不可能靠僥倖長存。

唾手可得的高成長暗藏許多經營陷阱。因為企業會循著原來成長的經驗加碼投資，組織因快速膨脹而變得很脆弱，而這種商業模式進入障礙很低，別人很容易跟進，當競爭壓力突然來到，以原來高度成長所做的預估無法達成，而各種資源又已經大膽投入，結果必然對企業造成重創。

也就是說，當基礎不健全，市場愈是大好、企業愈是成長，風險也愈高。因此，組織要永續發展，除了按部就班將基礎建設建立起來之外，沒有第二條路。

想創業嗎？當你齊聚志同道合的夥伴準備大展鴻圖，容我再提醒一句：為企業規劃發展藍圖，和建立堅實的基礎建設，是組織領導人肩上永遠的責任。

你準備好了嗎？

近幾年，為了企業成長與同仁生涯發展，宏碁積極推動內部創業，誕生不少小「碁」。看著潛力無窮、商機稍縱即逝的資訊市場，有同仁不免急著爭取資源、擴充規模，以便抓住機會，創造更大市場。創業的壓力和急切的心情，我完全可以體會，但我更深切了解，對一個企業而言，在擴大版圖之前還有更重要的工作。

　　偶爾，我會反問他們：「大家都想要全世界，但是不是也應該反過來想，如果全世界都給你，你有沒有能力擁有它？」

　　聽來似乎有點掃興，但平心思量，就算市場手到擒來，有沒有足夠的經營人才照顧新業務？有沒有足夠的自有資金支援業務運作？當陣線拉大，決策會不會變慢、判斷基礎會不會失真？制度有沒有跟上成長的腳步？

　　大家都明白，沒有建造足夠的馬路卻生產大量的汽車，結果就造成嚴重壅塞；沒有精密的飛航安全系統就讓飛機起降，結果會造成空難。同樣的，對企業來說，缺乏健全基礎建設的發展，只會造成更大的混亂，結果是欲速則不達。簡言之，無論國家或企業，競爭和成長的關鍵都在基礎建設。

　　提到基礎建設，立即浮現在大家腦海中的，可能是交通設施、通訊設備或教育文化場所等國家基礎建設。這些設施可以歸納出幾項特質：第一，多數成員經常接觸，甚至天天使用；第二，對於多數成員效率影響非常大；第三，需要較長時間投資，投資回收也比較慢；第四，需要定期維護；第五，隨時空環境改變，成員對它們的需求也會改變。

▍無形的企業基礎建設

　　依照這些特質，可以尋找出幾項企業重大的基礎建設，從中可以發現，企業基礎建設和一般人觀念中有形的基礎建設不同，企業重大基礎建設多數是無形的。

　　企業最重大的無形基礎建設有四：企業文化、經營團

隊、規章制度和資訊系統。

　　企業文化是企業眾多基礎建設中的基礎，有了它，才有志同道合的經營團隊；有了它，經營團隊在制定規章制度、擘劃資訊系統時才能有所本。它是組織成員的共同價值觀，無所不在的影響工作士氣、行為模式。

　　經營團隊是組織能力的核心，直接影響到企業的研發、製造、行銷、財務等各方面的能力。經營團隊不僅只於高階決策者，而是廣及各階層的經營團隊，扮演溝通、決策和解決問題的重責大任。而且隨著企業持續成長，需要不斷建立，例如到海外設廠就需要新的經營團隊，沒有質量並重的經營團隊，企業成長就會陷入瓶頸。

　　規章制度是組織成員的行為根基，也是影響組織效率最重要的環節。企業的規章制度有許多雷同之處，可以向外取經，但必須根據組織需要重新規劃，就如同港口各國皆有，但在引進外國技術時必須因著地形、吞吐量重新規劃。和經營團隊一樣，企業的規章制度必須隨規模與業務的增加而改變，如果制度跟不上成長，企業運作將會產生混亂的局面。

　　資訊系統是企業邁向現代化重要的基礎建設。也許許多人認為，資訊系統就是電腦和通訊設備，應該歸類於有形建設，事實上，花錢買硬體一點也不難，而是難在無形的部分。

▊ 能因應未來才是決勝關鍵

　　想想看，有多少企業為了電腦化投入巨資結果卻無成

效，原因何在？因為企業對於需要解決的問題、希望達成的效益並未規劃清楚，電腦根本不知道該做什麼。每部電腦都差不多，差異是電腦裡面商業模式如何建立，特別是因應未來競爭所需要彈性與前瞻的模式，這才是真正困難所在。

除此之外，資訊系統還有許多需要學習的知識領域，不僅只於操作，更重要的是如何應用，這項工作的成敗關鍵在於使用者，而要讓使用者學會利用複雜的電腦系統，需要很長期的訓練。

試想，人的行為是幾十年日積月累學來的，現在硬邦邦的進入有一定規範的電腦系統，每天進進出出都要靠它，如果不知道規範，就如同到了陌生城市卻不會看地圖，結果一定迷路，如果不會應用，功能再強大的電腦效用依然有限。

而商業模式與應用知識都是無形的，需要花費許多時間建立，也唯其如此，資訊系統才能成為企業決勝的關鍵。

■ 無形建設的特質

歸納起來，無形的基礎建設有幾個重要特質：

第一，無形建設有個最少資源投入的臨界點，也就是要有起碼的前置期間，起碼的投資。例如培養一群可堪大用的經營團隊，少則三、五年，多則十年，姑且不論金錢投資，要讓他們從嘗試錯誤的機會中成長，培養彼此的默契和信任感，都不是一朝一夕可以建立起來的。

第二，無形建設需要定期維護，因為它時時在與成員互

動，每個互動都會發生影響，因此需要隨時隨地小心維護。

　　第三，有形建設，例如高速公路，總要等完工通車才能開始使用，而無形建設是等不及完工就已經開始使用。舉例而言，不管企業文化堅實不堅實，從企業開始運作那一日起就已經發生作用，無論是正面效果或負面效果。

▊「夠用」並不夠

　　於是，這就產生一個大問題：既然已經在使用了，還要不要繼續投資強化？而這個問題也是多數企業領導人經營無形基礎建設時最大的盲點。

　　無形建設是否健全，並非由單一項目指標便可檢視，而是表現在整體績效上，決策者不可能一天到晚評估這些事情。

　　但如果經營者具有基礎建設的意識，運作上一發生問題，就能馬上認知到某個基礎建設需要加強；或者當大家集思廣益規劃未來時，能發現未來有些值得掌握的機會，必須對某些建設多加投資，並且會考量到前置投資與最低臨界點等要素；否則，其重要性很容易會被其他短期的緊急任務所取代。

　　舉個例子，當公司只有五十個人，以企業主為中心的經營團隊就夠用了；但當企業成長到五百人，就至少需要十個稱職的人幫忙管理，如果這十個人的能力不太平均，某些管理者無法勝任時，也需要一個機制，讓企業主能夠及時知道，馬上補位。

　　經營者有這樣的認知，就會為將來預做準備，而不至於自滿於眼前「夠用」的狀況。而宏碁之所以必須貫徹授權的企業文化，從日常運作中持續培養人才，就是在強化經營團隊的投資。

■ 有形的企業基礎建設

　　企業有形的基礎建設當中，最重要的莫過於財務結構。

　　財務結構和前述無形基礎建設不同，如果企業的無形基礎建設不健全，競爭力會變弱，營運起來比較辛苦，但不會立即致命，而財務結構一有出錯，企業立刻就有致命的危險。

　　絕大多數經營者都知道錢的重要性，但許多人卻缺乏將財務結構視為基礎建設的認知，創業之後就一頭栽進日常開銷、現金運轉等非常枝節的工作，缺乏整體系統的觀念，借來的錢和賺來的錢、長期資金和短期資金，全都混在一起思考，甚至為了稅務考量還做假帳，一旦問題產生，一堆糊塗帳，也不知道問題出在何處，即使想挽救也無從下手。

　　雖然缺乏健全的無形基礎建設不會立即致命，但絕不表示不會產生危機。因為有形基礎建設可以量化，便於問題的掌握與管理，而無形建設難以掌握，當它發生問題時也不容易立即察覺，時日一久就像慢性疾病一般，想要痊癒也很困難。

　　而無論有形或無形基礎建設的建立，對企業都有個非常重要的好處，基礎建設會減少因人異動所造成的變動風險，這就好比國家有健全的文官制度，政黨輪流執政也不至於造

成太大震盪。這當然有助於企業長期穩健的發展。

隨著時空環境演變，基礎建設的需求也會改變，方式有二：一是數量改變，例如從一條高速公路增加為兩條；二是型態改變，例如從高速公路演變為資訊高速公路。唯一不變的是，一定要有建立基礎建設的認知。

當企業發展到一定階段，無可避免要開始多元化經營，否則就無法在高點站穩腳步，所以，企業因應未來必要有所準備。準備什麼？無非就是基礎建設。也就是說，企業要隨時間演變，不斷建立新的基礎建設。

▌成長，前進主流戰場

許多創業者都是靠利基市場起家的，宏碁也是，我在前一本著作《利他，最好的利己》的〈圍棋理論與微笑曲線〉一章中也談到，在資源有限的情況下，從邊陲地帶進攻較能避免棋子被包抄圍剿。

但是，企業不能長期蝸居一角，否則對手大軍入侵，終究還是無法抵擋；換言之，企業必須隨時準備進入中心戰場和對手正面交鋒。

在我的定義裡，所謂利基市場就是非主流，只要是主流，大家即便拚得頭破血流也要攻進去。利基市場的特質是規模小，所以毛利高；而且長不大，只要長大了就變成主流，大家都要攻進來。

所以利基產品還有另一個特色 —— 無法依靠太久，企

業要成長，就不能靠它吃一輩子；如果企業要靠利基市場吃一輩子，就需要不斷找利基產品。但平心而論，這樣的機會可遇不可求。

舉例而言，網景（Netscape）靠網路軟體起家，先期的確享受不少利基市場的好處，但當微軟（Microsoft）挾Window 95的強大威力，搭售Explorer網路軟體時，可就不那麼輕鬆了。

▋ 低毛利、高周轉，利人又利己

相反的，經營主流產品就不是靠機會，而是以低毛利、高周轉，硬碰硬的比拚經營的有效性；也可以說，經營利基產品靠巧取，經營主流產品靠豪奪。如果企業一直局限在利基產品，無法建立主流市場的經營能力，結果不是永遠長不大，就是永遠辛苦打江山，最後讓給別人坐。

因此，企業要成長，就必須隨時在人才、財務、技術、行銷、品牌等各個方面，都做好進入主流戰場的準備，否則就只能不斷轉進或逃走。

當企業有此認知，就必須為低毛利、高周轉的商業模式預做準備。低毛利不但是為了造福消費者，也為企業創造經濟規模；而高周轉則為提高經營效益，同樣的資源多周轉一次，就多創造一個循環生意收入。

要達到這個目標，企業必須建立品牌，培養國際行銷的人才，建立跨國管理的制度規章，以資訊系統讓資財流通順

暢迅速，有了這些基礎建設，才能在主流戰場立於不敗之地。

　　如果企業不願意享受薄利多銷的模式，就得設法在高投資、高毛利市場出頭，最具代表性的是軟體事業及電影事業，可以用大規模投資，創造高品質產品，用規模經濟創造高報酬。只要投資夠大，就有機會從擴大行銷當中贏回來，這就是微軟的策略。至於軟體創作和擴大行銷，更是完全仰賴人才。但，軟體和電影的定位若不符合市場需求，則會血本無歸。

　　從這個角度來想，許多人都認為製造能力是台灣企業的看家本領，台灣也的確以代工模式創造了高成長，但當台灣已經站在這個高點上，這樣的模式能不能支持台灣經濟繼續成長？

　　如果答案是否定的，什麼是台灣未來的機會？我想，答案無非是國際行銷與軟體。

　　因此，只要一有機會，我總是不斷傳達台灣發展行銷與軟體的重要性，但到目前為止，許多人對這個看法還是相當存疑。

▌利基廠商也要有布局主流戰場的能力

　　曾經，宏碁同仁就反問我，台灣積體電路公司經營晶圓代工，這是利基市場，它不但已經經營超過十年，而且還是台灣最大的半導體廠商，這又怎麼說？

　　我的回答是，第一，因為台積電把這個利基市場做起來了，所以大家爭先恐後的進入晶圓代工；第二，台積電也開

始加工做DRAM，在半導體市場中，這是主流產品。

我要強調的是，走利基市場的廠商必須有打硬仗的準備，因為遲早有一天會棋逢敵手，如果利基廠商不能為主流戰場的布局建立能力，不免要陷入苦戰。

看看宏碁吧。宏碁的國際化就是從第三世界開始，採取「鄉村包圍城市」的策略，後來，我們還是必須進入美國、歐洲市場，而且第三世界也變成主流戰場，全世界資訊大廠都攻進去了。

雖然從創業初期我們就自創品牌，為打主流戰場準備多年，但幾次硬仗打下來都不免吃了苦頭，如果沒有這些基礎，後果真是不堪設想。

對企業而言，永遠要從資源有限的角度，思考四兩撥千斤的策略，但也必須永遠做好進入主流戰場的準備，真刀真槍練就一身本領。沒有一個企業能靠機會和運氣，天天都過好日子。

企業長存之道，盡在基礎建設。

■ 重塑商業模式

在我的想法中，未來，所謂「企業改造」，將是商業模式的重塑（the re-modeling of business）。

我們都曾經在課本上讀到，從前農產品因為受限於運輸系統，經常豐收之後棄置腐爛，或受到層層剝削。但在新工具出現之後，整個商業模式都改變了。對電腦業而言，當組件模式、自己動手做（do it yourself, DIY）、郵購、網路購物

等新商業模式興起，可以想見，三、五年後，企業的商業模式也會完全改觀。

舉例而言，我經常和同仁分享這樣的觀念：目前，電腦業在市場的勝敗關鍵是運籌管理；未來，企業的決勝點將會是品牌。

道理很簡單，當多數消費者透過郵購或網路直接向廠商購買電腦產品，跳過中間流通管道，影響消費者購買決策的關鍵就是品牌了。

宏碁致力自創品牌二十餘年，一路走來同行者真是不多。目前，多數同業因為加強運籌管理，在爭取代工訂單迭有斬獲，更認定自創品牌是一件「吃力不討好」的工作。而宏碁一方面致力運籌管理，但另一方面仍堅持持續投資品牌，原因無他，為長期發展未雨綢繆而已。

這絕對不是一件容易的事，即使在宏碁內部都有許多不同聲音，尤其是當代工客戶因為顧忌宏碁的自有品牌，而將訂單下給其他同業時。

▌品牌，最具長期效益

品牌到底有什麼魅力，讓宏碁如此無怨無悔的追求？

姑且不談一個國際知名品牌對台灣有什麼不凡的意義，對企業來說，品牌是產品的組件之一，而且是所有組件當中最具長期效益的組件。

關於品牌的價值，學理上多所討論。例如，品牌讓消費

者辨識容易，降低企業對消費者教育的成本，增加消費者重複購買次數；品牌提高產品價值，讓消費者願意花代價來購買；品牌讓企業具有資金及人才取得的優勢；品牌降低新產品上市的風險，讓企業多角化時產生綜效。

除此之外，我更要說，因為品牌是企業的無形資產，所以它的價值勝過所有有形資產；在所有無形資產當中，品牌是在市場上威力最強大的武器。

如何證明企業無形資產勝於有形資產？

讓我們來想想，為什麼用大小相同的晶圓所生產的微處理器，英特爾每一片可以比別人多賣三、五倍的價格？因為附著在積體電路上的軟體值錢。

是他們的產品功能特別好嗎？未必如此，想當年，摩托羅拉（Motorola）和 Zilog 開發的 8 位元微處理器，功能可不輸給英特爾，重要的是，英特爾定義出來的應用架構成為產業標準，將電腦廠商牢牢綁住。

軟體和應用架構都是無形資產，以專利與著作權的形式，成為刀槍不入的防護罩。

製造有形組件需要消耗很多原子，但無形組件的複製，不但邊際成本遞減，甚至幾乎不必消耗資源，例如積體電路上的軟體和應用架構。成本低、價值高，這就是無形組件威力所在。

▌最奧妙的組件

在所有無形組件當中，品牌是複製效益最高、成本最低

的組件。想想看，經驗傳承要靠上課，軟體要花時間學習，但是品牌一旦建立起來，那是無所不在的接觸、無所不在的印象、無所不在的在傳達價值，它是配銷範圍最廣的組件。

有的軟體，例如電影，同一個消費者欣賞一遍多數就不再重複使用，但是品牌被同一個消費者重複使用的機率，高得太多太多。

品牌就是這麼奧妙的組件，它所帶來的效益，無論是成本與資源的節省或規模與價值的創造，會在每一次消費行為中，讓企業存在絕對的優勢。

近兩年，宏碁開始發展非個人電腦的新產品，同仁告訴我，因為 Acer 這個品牌，在開發客戶時，對方願意給我們機會介紹新產品，不至於三言兩語就被賞閉門羹；所有提出的營運企劃及報價，對方也可以理解這些就是「Acer Way」（宏碁的理念和執行方式）。這些無形資產所發展出來的客戶和彼此的信任度，絕非單純代工商業模式所能相比。

就是這些原因讓我堅信，自創品牌終會是個無所遺憾的抉擇。

■ 低成本的致勝籌碼

品牌這個組件和軟體一樣，開發時需要投入資源，但複製成本很低，而且非常有助於企業創造經濟規模，因此可以達到降低單價的效果。另一方面，它讓企業資金取得成本較低，容易找到好人才，好的人才素質同時也會產生降低成本

的效益。

總體而言，品牌是一種降低成本的商業模式，成本低，企業競爭力就強，有了這個核心能力，企業就可以視情況彈性運用。

對企業來說，多一些籌碼，就可以多提高一些致勝把握。

品牌策略涵蓋兩個部分，一個是定位，一個是認知。品牌必須定位高才能產生價值，如果定位低，那就很累了。

這就是何以三星（Samsung）、樂金（LG）在個人電腦市場比較難有重大突破，因為這兩家公司原來在消費性電子市場的定位比較低，消費者對此定位的認知也已經根深柢固；而當豐田（Toyota）要推出高價位車種，就必須採用另一個品牌（Lexus），因為原來採取平價車的定位，知名度已經相當高。

▋ 不能留下殺價的印象

因此，當一個品牌在消費者心目中還沒有定位清楚時，要非常留意一點——即使推出低價產品，也不能給外界殺價的印象。所以，當宏碁推出第一個自創品牌產品「小教授一號」時，定價都是有理念的。

一定要從技術突破的角度，交代清楚為什麼採取較低的價格，如果交代不清楚就會壞了名聲。當年，宏碁推出 Acer Basic 平價電腦時，也是將整個產品理念和外界溝通清楚，絕對不能造成「便宜無好貨」的認知。

在其他產業，品牌可以為產品創造差異性，但個人電腦這個產品很麻煩，因為目前整個市場陷入品牌沒有定位的局面，品牌不能創造明顯的差異性，所以無品牌電腦占據市場一大半，在這種情形下，如果還誤以為有品牌就可以賣得比別人貴，那可就糟糕了；反過來說，如果能將品牌形象建立起來，降價策略才能產生效益。

舉例而言，個人電腦領導品牌康柏（Compaq），每次降價立刻就產生優勢，逼得大家都不得不因應。所以，只要品牌夠強，就會是企業致勝的武器。

贏在關鍵性組件

大家都知道，日本企業強處就在關鍵零組件，因此日本企業應該最擅長組件模式運作，但為什麼日本在個人電腦卻顯現不出優勢？

日本某些產業組件能力的確相當有優勢，例如消費性電子，這是美國公司所不及的。有一回，夏普（Sharp）一位副社長告訴我，美國人一直以為日本消費性電子是靠傾銷起家的，其實美國人不了解，日本是贏在組件。

為什麼日本個人電腦就沒有這樣的優勢？因為最貴的組件（中央處理器、作業系統）被美國人拿走了，其他組件又做不過台灣。

事實上，日本並不是典型的組件模式，他們會發展關鍵性零組件，事實上是「系統模式」的思考，並不是分工整合

的思考。也就是說，他們以系統競爭力為著眼點，基本上還是垂直整合，所以有許多真正關鍵的組件都是留著自己用，而不是分享別人一起用。

但個人電腦不同於消費性電子，這個產業裡最大附加價值並不在系統，日本企業沿用過去慣用的模式就會產生盲點。

對台灣電腦業來說，當我們具備目前組件能力的基礎，雖然眼前個人電腦市場由微特爾（Wintel）主宰市場的狀況，短期內很難突破，但未來在個人電腦延伸產品領域，如果能在定義應用架構和軟體有所斬獲，掌握更高附加價值的關鍵性組件，那肯定是台灣電腦業致勝的契機。

▓ 超越想像的品牌價值

在和周遭人士討論品牌理念時，我有個迥異於他人的想法，經常引起激烈辯論。我認為，有品牌並不代表企業可以賣得比別人貴，對消費者而言，品牌所代表的是附加價值，而不是額外價格。

舉例而言，賓士和BMW是名貴轎車，因為它的功能、品質本來就有所不同；名牌精品價格昂貴，因為品牌帶給消費者他人羨慕眼光的附加價值。但電腦的消費者多數是理性消費者，並不存在這種炫耀型消費心理。

IBM是電腦業巨擘，但在個人電腦市場，這個品牌可沒有讓消費者願意多付三成價格，貴5％都非常有得拚。另一方面，微處理器的英特爾、作業系統的微軟，這兩個品牌

之所以有價格優勢，是因為品牌代表著服務、品質和長期承諾，這就是附加價值。

　　對企業來說，品牌策略的思考在於創造規模、降低成本，而不是高利潤。高利潤當然不是壞事，但如果以高利潤為品牌策略的思考，就會產生高成本營運計畫，就如同當人相信自己將會有很多錢，就會多花錢一樣。

▌無形資產商機無限

　　在我的想法當中，品牌、企業文化這些無形之物都是企業資產，它們是有價的，因為唯有把持這個觀念才會持續投資它們，但在目前會計原則當中，平時無法計價列為資產，只有在品牌轉移交易，企業清算時才存在其列帳價值。但在我的想法裡，品牌還應該可以抵押借款，可惜目前立法者從來不曾思考這個做法的可行性。

　　也許將來有一天，有家金融機構開發出這樣的業務，有公司拿品牌前來抵押貸款，授信部門評估值一千萬美元，便核准了這筆三百萬的貸款；萬一這家公司大勢不妙，就把品牌接管過來拍賣，結果五百萬成交，這應該是不錯的生意。

　　這可不是異想天開，就算不會發生在我們這一代，新新人類可不會錯過這個商機。因為無形資產的重要性已經開始被認同，否則，如何能讓諸多規模不大的軟體在紐約股市行情看俏，搶盡大企業丰采？

　　請備妥鮮活思維，迎接無形資產創造財富的時代。

1997年上半年，美國嬌生公司（Johnson & Johnson）幾位高階主管數度造訪宏碁，進行企業文化交流。這家年營業額兩百多億美元的全球知名企業，年年名列全美十大最受尊崇企業之一，嬌生文化（他們名之為「我們的信念」〔Our Credo〕）也是企業界探討企業文化的知名典範。

雖然本身文化如此備受肯定，他們還是到處取經，1997年4月，在洛杉磯舉辦企業文化展，宏碁也受邀參展，足證他們對於企業文化重視的程度。

▌企業文化不能打折

嬌生曾經發生過一個相當著名的回收止痛藥事件。1982年在芝加哥，有人將劇毒氰化物加在該公司生產的止痛藥膠囊裡。事發之後，估計共要花七千五百萬美元才能全面回收產品，但他們還是很快決定全面回收市面上流通的止痛藥。

那時，這種止痛藥是嬌生最大單項利潤來源，事件爆發後，幾星期內它在止痛藥市場占有率從37％驟減到7％，股票價格也跌了一成。但五個月後，一種新改良的止痛藥，讓他們的市場占有率回升到26％，三年內，回到原先的37％。

在嬌生文化「我們的信念」當中，非常強調社區意識與對消費者的責任，但在危機發生時，絕不可能有人會抱著「我們的信念」先讀一遍，再去解決問題。事後，當他們回頭審視過程中那些關鍵性的決定，發現那些行動都源自於早已深植在成員心中、日常看待世界的共同角度，也就是嬌生的

經營理念 ——「我們的信念」。

　　想想看，即使在市場競爭慘烈、企業爭相高喊「顧客至上」的今日，當類似問題發生時，有多少企業是下面這樣的處理狀況：

　　當企業發現市場上有產品出狀況了，茲事體大，十個高階主管緊急開會研商對策。其中，八個主管認為必須堅守「顧客第一」的企業文化，主張全面回收、負責到底。最後，董事長和總經理關起門來一盤算，發現全面回收對股東影響太大，還是打個折吧！

　　於是，這八個原本還相信「顧客至上」的主管，也開始對這句話打了點折扣，回到各自部門，支支吾吾對同仁自圓其說，同仁對這個文化又打了折，於是，這個價值觀從此煙消雲散。往後這家企業可能花十倍力量，也喚不回同仁照顧顧客的心。

　　企業能否釐清要「變」或「不變」，其結果差別就是這麼大，但平心而論，能夠領略其意的人並不多見。

成功與貢獻

　　當我對外發表演說時，經常有人問起，創業要具備什麼條件才會成功？在創業精神鼎盛的台灣，成功致富之道永遠是熱門話題，但另一方面，對於我再三強調必須長期致力於建立貢獻社會的企業文化，聽眾常是興趣缺缺，不少人甚至質疑，在激烈競爭中，追求貢獻如何會比求生存更加迫切？

　　這兩個問題看起來好像是兩回事，其實是相同的答案。如果要談成功致富，歸納當今傑出企業就不難發現，他們的企業文化都非常類似，而且儘管詮釋方法各有不同，但必定都具備追求貢獻的目標。

　　道理何在？且讓我們回歸原點，試問企業為什麼存在？是因為社會需要，而不是為了賺錢。因為一個沒有貢獻、沒有附加價值的企業，不可能達到賺錢的目的。

　　台灣有句俗話說：「人兩腳，錢四腳。」對企業而言，賺錢的機會是一直在變的，經營者必須時時想到企業對社會的價值所在，才不至於在變動中錯失方向。如果創業者沒有思考企業要提供社會什麼需求，容我直言，那就不必創業了，而一家公司要創造什麼樣的社會價值，就是它的企業文化。

　　正如同每個人活在世間，價值各異，企業存在的價值也各不相同。促進人類生活品質固然是企業文化，急功近利、亂七八糟，也可以是一種企業文化。但是，企業和人畢竟有差異，人的生命必有終點，而企業卻是永續的，因此問題關鍵是，企業要建立什麼樣的文化，才能達到永續經營的目的。

永續與價值

　　有一回，一位德國記者採訪我，提到德國近年經濟發展陷入低潮，部分德國專家為這個棘手難題找到解答，認為企業如果能普遍深植「創造股東價值」（shareholder value）的理念，德國就能重拾經濟實力；但我認為，「股東利益為先」

並不是永續的觀念。

　　我告訴這位記者，宏碁的理念是「創造利益共擁者的價值（stakeholder value）」，誰是宏碁的利益相關者？除了員工、股東之外，消費者、協力廠商、往來銀行乃至於社會大眾，都共同享有這個企業的成果。當宏碁能為利益共擁者創造價值，這家企業才能夠永續存在。

　　只是一個望之無形的理念，對社會產生的價值卻迥然不同。二十年前，宏碁為了實現「利益共擁」的理念，開台灣企業風氣之先，推動員工入股制度，如今已然成為台灣高科技公司普遍採行的制度，奠定台灣資訊業在國際間的競爭實力。從這個角度來看，宏碁這個經營理念對台灣的貢獻，並不亞於我們所生產的產品。

　　因此，我經常和各界朋友溝通這樣的觀念：「創新的經營理念，比先進的科技更能改造世界。」

▊ 長期發展的重要驅策力

　　無形資源勝於有形資源，企業文化就是企業最寶貴的無形資源之一。對任何一個追求長期發展的公司而言，企業文化是一股非常重要的驅策力，它能讓企業在順境時有效掌握機會，在逆境時共同奮鬥、克服困難。

　　宏碁發展到今天，許多學術界或企業界朋友開始對宏碁經驗感興趣。大家最好奇的是，宏碁如何靠新台幣一百萬元資金起家？我最希望分享給大家的經驗是，看不到的資源更

重要，宏碁之所以能累積今天這一點成果，是二十一年前我們致力塑造「人性本善」、「不留一手的師傅」的文化，吸引一群為實現理想尋求舞台、願意學習的年輕人，共同打拚。

資本可以借，技術可以用錢買，但是企業文化卻無法外求；也可以這樣說，宏碁賴以起家的，其實是企業文化。

這些年，也許因為宏碁重視企業文化的形象，已為外界所熟知，我常聽到這樣的說法：「宏碁之所以有鮮明的企業文化，是因為施振榮的創意，想出很多很響亮的口號。」甚至宏碁內部同仁也有這樣的說法。

經營活的文化

平心而論，口號或標語只是詮釋與溝通的工具，構思打動人心的口號其實不難，塑造企業文化之難，難在落實；而落實之難，難在持續。因此，要塑造好的文化，不但要用心經營，而且必須是有要領的經營。

要掌握經營文化的要領，必須先探索，何以企業文化的持續如此困難？原因之一是，隨著企業成長，組織變大，成員的意見自然紛雜，行為模式也日趨多元；原因之二是，隨著產業變遷與業務擴增，企業文化的適用性也會產生變化。

如果公司同仁天天親眼所見主管的行為，和剛進公司時耳朵聽到的企業文化有出入，要不了多久，所謂的企業文化就會變成笑話，不但無法達到凝聚向心力的作用，反而打擊工作士氣。

　　因此，企業文化的塑造，絕不是單靠一個人，而是每一階層同仁都有共同的認識，每個單位主管都能隨著時空環境不同給予適切詮釋，如此，企業才能擁有「活」的文化。

▌掌握原則，落實執行

　　對一個企業領導人而言，任憑再有能力與魅力，頂多也只能直接影響四、五十個人，而且他終有離開公司的一天。曾有一位企業家接受記者採訪，回答關於他退休後公司既有的強勢文化如何持續時，說道：「我會經營企業到一百歲。」對於他終生奉獻企業的精神，真是令人非常敬佩，但是這畢竟沒有面對現實。

　　我們必須面對現實，否則思考問題的出發點就會有誤差。現實的狀況是，即使兩個朋友交情再好，都不可能讓對方完全照自己的意思做事，而企業經營必須透過組織運作，面對那麼多人與事，絕大多數的狀況，企業領導人是無法逼迫的，只能期待。要發展務實的模式，就必須承認先天的限制因素。

　　於是，我想到一個辦法，將原則弄得很簡單，溝通起來就會比較容易而有效。我們將宏碁文化歸納成四句簡單的原則：第一，我們要尊重人性，因此相信「人性本善」和「顧客為尊」；第二，我們要創造價值，因此要做至「平實務本」和「貢獻智慧」。

　　也就是說，企業文化在產生創意階段是掌握原則，當原

則確定接下來要詮釋,而詮釋的責任在各階層主管身上,詮釋的方法就是以身作則,把它落實下去,形成共同的價值觀。

最近,我在宏碁高階主管訓練課程中,講述宏碁的企業文化(順便一提,塑造企業文化需要長期不斷討論和提醒,特別是有切身感受的資深同仁。接受同仁對企業文化的回應與挑戰,絕對是企業領導人的責任)。一開場,我問大家,企業文化是什麼?有位同仁貼切的引用廣告詞形容:「企業文化要有點黏,但不要太黏。」

■ 有所黏,有所不黏

的確如此。當企業文化不夠黏,組織運作一盤散沙;太黏,又會因為文化排他性,致使組織產生僵化。如果企業一直處於順境,問題並不大,一旦外在環境有些風吹草動,組織就會產生調適不良。

問題是,如何保持黏度適中?宏碁的「主從架構」(請參閱拙著《利他,最好的利己》),讓我們擁有組織上的優勢,在分散式組織架構中,任何一個「主」(也就是公司內各部門),可以在四個原則之下,因著主管個性不同或產業環境不同,各自塑造部門文化,給予文化不同的解釋。

也就是說,我們有所黏(守住四個最高原則),有所不黏(其他讓大家放手發揮)。

這樣做有什麼好處?大家都知道,組織文化的塑造,成員愈少愈有效。談文化,一定得是「消化」過的,是隨時

隨地一句話或一個動作都吻合的，既然如此，每個人消化後再詮釋的方式一定有所不同。所以尊重每個單位主管的領導方式，從小規模做起，如此，這些原則才能產生符合組織需要、順應時空變化、有效的運作方法。

所以，我常半開玩笑和宏碁同仁說：「為什麼我這麼多年來老是講宏碁文化這『四句箴言』？因為這些原則都是大家討論過、不會錯的，我就可以避免講錯話。」事實也是如此，當企業文化落實到決策或運作層面，絕對會因時、因地、因勢的不同，有不同的詮釋，而最能貼切詮釋的人，應該是負責實際運作的各單位主管。

看到這裡，也許讀者會有這樣的疑問：「那麼鬆散組織，如果單位主管連這四個原則都不遵守，又該如何是好？」

宏碁既然強調「人性本善」，自然也必須尊重各單位領導人的風格，但反過來想，為什麼我們會選擇這四個原則做為企業文化？因為我們相信這四個原則是企業的成功之道，我們不認為違反這些原則的人還能夠將公司領導好。

如果多數同仁都這麼相信，而有少數主管不相信，孤獨的處在這樣的環境下，大概也「不好活」。況且，我們「黏」的地方這麼少，如果連這麼簡單的原則都無法接受的領導人，若非自我調整，終究還是無法留在公司。

■ 鮮活思維賦予文化新義

時至今日，宏碁文化已經行之有年，但無論對宏碁或其

他已有明確共同價值觀的企業而言，企業文化所面臨賦予新義與傳承的挑戰，難度並不下於扎根工作。

有時候，朋友會問我：「你講『人性本善』都二十幾年了，這麼簡單的四個字還有什麼好講的？」事實上，這四個字所衍生的議題，一點也不簡單。

已經成形的企業文化，並不是提供企業照本宣科之便，果真如此，那就是教條而非企業文化。就像歌星打歌，每天盡唱同一首歌，聽眾也會生膩，但若能演唱千百首風格一貫的歌曲，那便是獨具風格的巨星了。

如同一位巨星的誕生，必定曾經歷風格的摸索試探期，但是一旦確立某個風格最受歡迎，做法就得反過來，用不斷翻新的手法凸顯一致的風格，才能博得歌迷持續的歡迎。

企業文化的塑造也是一樣，在確立價值觀後，任務並未停止，時代會變、社會價值觀會變，人們所關心的、追求的也都會有所不同，要抓住多數利益共擁者的心，企業文化的詮釋與落實就必須跟得上時代，這就需要「鮮活思維」了。

■「顧客為尊」新解

同樣的思維，也能應用在「顧客為尊」與「貢獻智慧」的重新詮釋上。

在今天，「顧客為尊」的內涵，絕不僅只於良好的服務態度和維護消費者權益，企業必須創造增進顧客利益的價值。因此，貢獻智慧也不僅只於創新，為創新而創新，並不

見得能使顧客得到實質利益，創新的機會多不勝數，以客戶利益為前提的創新才是以客為尊，這種智慧也才真能稱得上「貢獻」。

從「顧客為尊」的新解出發，「貢獻智慧」不僅只於發明、改變材料或經營模式來創造更高價值，或是降低成本，可能是企業更值得追求的貢獻。由此，「平實務本」也有了新的詮釋，這句話的涵義不僅強調做事必須腳踏實地，更進一步的，企業必須控制成本，如此才能提供價廉物美的產品，讓消費者得到最高價值的享受。

在邁向創業第三個十年的今天，宏碁有個共同願景——人人享用新鮮科技，便是發源於這些重新詮釋過的企業文化。

簡言之，在企業規模較小的時候，文化詮釋的空間也會比較局限，當企業版圖擴大，就必須以較大格局的思考來重新定義它，如此，才能打動組織成員的成就感與使命感，讓文化具有持續的生命力。

■ 從企業到社會

舉例而言，「人性本善」是宏碁文化的核心理念，最初，我們希望能夠創造一個授權的環境，使成員竭盡所能追求共同理想。

以新時代的眼光來看，要維持人性本善的組織，必須塑造一個有效率的環境，不能卡來卡去、彼此牽制，於是，在制度設計時就要積極思考，如何才能做到興利重於防弊，而

不至於在創造價值的過程中，產生無謂的資源損耗。

同時，我們不僅希望能在宏碁內部推動這樣的理念，也希望能把這樣的理念分享給外界，從而改變台灣政府機制處處防弊，社會人心無法互信的狀況。

平心而論，在台灣這樣「人性本惡」的大環境裡，宏碁這麼多年來堅持「人性本善」，其實面臨很大挑戰。我衷心希望透過這樣的努力，能使台灣由互信、減少資源內耗，逐漸提升生活品質與競爭力，如此，對整個社會都會產生很大的效益。

我始終認為，企業不能忘記自己是社會組成非常重要的一份子，因此，塑造企業文化不能只思考獨善其身，還要兼顧社會使命。

▌小而質優，多而有序

宏碁文化有個「小老闆的成就」的文化，這是源自於我們對中小企業創業精神的認同與尊重。過去，中小企業彈性與協力的體系，造就台灣的經濟實力；未來，在全球分工整合趨勢下，二十一世紀台灣競爭力還是在中小企業。

因此，我們要思考的是，如何保留中小企業的優勢，但又能突破發展瓶頸，讓這個體系由家族企業邁向專業管理，財務公開而健全，發展更有策略，不要互相抵消資源。

「小而質優，多而有序」，是我理想中台灣經濟體系未來的圖像。如果有人問我，現在最關心的是什麼？立即浮現在

我腦海中的，就是這八個字。從企業經營者的本分著手，我們希望能順應這個大環境，找出有效的成長模式。

宏碁從以前就不斷推動內部創業的投資模式，近兩、三年更加快這樣的腳步，希望在下個世紀，宏碁的主從架構裡，有一、兩百家獨立作業但有共同文化與願景的企業，透過推動全球關係企業股票上市的策略 ——「21 in 21」（到了二十一世紀，全球有二十一家股票上市公司），在社會大眾共同監督之下，真正做到「小而質優，多而有序」。

▇ 塑造從小眾到大眾的企業文化

從「小老闆的成就」發展到「主從架構」與「21 in 21」，我們所懷抱的理想是盡一己之力，讓台灣既有的優勢與潛力能夠無窮盡的發揮。

這個模式究竟會不會成功，我也不知道。如果未能成功，當然只是平添一段插曲；但是如果成功了，我堅信，那將是管理學上的里程碑，同時也會為台灣的未來創造海闊天空、無限的可能。

我衷心希望，有朝一日人們這麼評價宏碁：「這家企業不但製造價廉物美的科技產品，更以製造對社會貢獻良多的經營理念而著稱。」那麼，宏碁在企業文化上的努力，才算是有了初步交代。

塑造企業文化要有使命感，小眾可以讓它變成大眾，我們五十幾歲的這代不就影響了三、四十歲的這一代嗎？宗教

追求永生，企業追求永續，都必須付出努力。

　　文化的塑造絕非唾手可得，領導人總是要不斷努力去溝通。如果你一想到溝通就詞窮或心灰意懶，那問題可能在於你對這個文化相信得還不夠，如果這樣，可不能怪罪年輕人不願意相信它。

▊ 速度與彈性才是關鍵

　　如果你問我，閒置一個東西成本有多高？我會回答：比你想像的高，要付利息、要機會成本、要折舊，看不慣閒置，頭痛也要成本，最後，找尋解答還是需要成本。不只如此，就如同品質管理有所謂「擴大理論」——在產品製造中，瑕疵品造成的連鎖影響，會比不良率放大幾倍，呆滯也一樣。

　　舉企業運作為例，最初可能只因為期待經銷商能努力推銷，就隨手多放一點產品在行銷據點，然後，就會產生錯誤的業務目標、失真的市場策略與生產計畫、低效率的財務管理，最後，整個商業模式都扭曲變形了。

　　因此，如果要談企業運籌管理，我認為其中的學問就是六個字：「高周轉、零呆滯」，這也是任何組織資源運用的基本精神。

　　一般而言，經營者在管理資財時，會注意的通常是材料的帳面價值，事實上更值得注意的是，看不見的成本可能已經悄悄將原有價值侵蝕殆盡，在漂亮帳本的煙幕之後，企業

也許正陷入搖搖欲墜而不自知的風險。為了避免這種為帳面所蒙蔽的陷阱，最好能夠建立一個快速周轉的體系，所以，宏碁採取「薄利多銷」的商業模式。

在許多人的觀念裡，這種商業模式是下策，有本事的企業用不著賺這種「辛苦錢」，但我並不認為如此。因為即使最高毛利的商業模式，也必須考慮資源有效管理，這本來就是企業精神，只是對高毛利企業來說，閒置所造成的浪費比較不會致命而已。

從另一個角度來說，企業要真能做到薄利多銷，還非得有點本事不可，這表示這家企業的行銷和資財管理都要有兩把刷子。為了發展這個商業模式，宏碁發展出一個系統，我們稱它為 AQR（Acer Quick Response，宏碁快速反應）系統，簡單來說，就是三個目標：目標、彈性、零呆滯。

後發先至的上乘武學

速度和彈性有多重要？舉幾個例子為證。

從前宏碁購併高圖斯之所以不成功，原因之一是組織內部的問題，其中一個現象是，美國企業的規模大，所以美國人習慣長期計畫。採購員為了方便，一下單就是訂六個月的零組件，結果因為產品變化太快，這些零組件有時三年都用不完，這種長期計畫的作業模式，讓我們想煞車都來不及。

這兩年，很多國外大電腦廠商紛紛把產品交給台灣業者代工，幾年前，他們並不願意這麼做，因為他們無論怎麼

算，都不覺得交給台灣代工是划算的。

論材料成本，誰做都差不多；論人工成本，台灣也沒便宜到哪兒，算盤一打，還是自己生產。結果，他們卻在市場吃了虧。因為問題並不是出在生產成本，而是出在生產計畫系統，他們計畫做得太長，到頭來反而沒辦法應變。

相反的，日本人在歐洲汽車市場連連過關斬將，主要原因在於他們開發新車的時間比人家少一半，真正做到武俠小說所說的「後發先至」，於是競爭力就產生了。道理很簡單，新產品開發距離問世時間愈近，對市場評估愈準確，無論就功能或數量都較能掌握；同樣道理，製程時間如能縮減一半，對市場的有效掌握更能提高數倍。

■ 釐清變與不變

高瞻遠矚是對的，但還是那句老話，得先釐清「變」與「不變」。

「遠矚」所要思考的，是不變的東西，例如人才培養、基礎建設和品牌建立，這些工作盡可能按部就班的計畫、準備，但是產品要做什麼、做多少，當然要反應靈敏才好，否則市場不確定因素這麼多，計畫拖那麼長，反而會走進死胡同。

經營一個事業，總有很多隱藏的問題，經營者必須細細的把問題找出來，否則，套句大家常用的口頭禪，「怎麼死的都不知道」。

蓮蓬頭與巴士

這兩年，運籌管理成為台灣企業的重大課題，許多電腦公司也都以「全球運籌模式」做為自己的競爭利器，儘管如此，在這個環節出問題的例子還是時有所聞。在我的體會當中，企業運籌管理之難，難在流程管理；流程管理之難，難在管理的控制點和反應的時間落差。

這就好像用蓮蓬頭洗澡，一調整水溫，常常不是過冷就是過熱，想想看，從熱水器到蓮蓬頭，這麼短的距離、只有一個控制點，天天使用都經常抓不準，企業為了控制適當的水溫（即市場需求），從供應商、工廠到行銷體系，飄洋過海，流程那麼長、控制點那麼多，不難想見流程管理是多大的挑戰。

這個「蓮蓬頭原理」，早在1992年我就開始在宏碁內部大力溝通，直到現在都還存在很多問題。行銷事業單位經常因為不確知市場需求有多大，為了保險起見，也或者是源於業務人員樂觀期待的本性，就會多訂一點貨，於是「水管」裡面就積了很多「熱水」。

改善這種情況唯一的方法，便是盡量把流程簡短，把流程中的存貨降低。

宏碁快速反應系統就是希望建立靈活而彈性的供貨體系，行銷單位將預訂貨物的時間縮短，例如從一個月前下單變成一週前下單，生產單位少量、多次迅速供貨。此外，不同性質的組件，不同的運籌方式，就如同巴士和計程車，有

的大量載客、定期發車,有的三五成群、招手即來。

千萬不要小看「蓮蓬頭」和「巴士」這兩個普通觀念,這兩年轟動全球的戴爾電腦,之所以能創下令人豔羨的170％獲利率成長,靠的就是過人的流程管理。

因此只要一有機會,我總是提醒各單位主管,要就整個集團從頭到尾的流程來思考,每年設定一些目標,沒必要的流程及可減少的庫存,一段一段的減少。

▌周轉,永不嫌快

要做到精簡有效的流程有多難?說難不難且空間很大,因為它可以無止境的追求。假設每天周轉一次,就可以努力讓它變成三次,然後五次、十次……。《莊子》有句話恰可形容,「一尺之棰,日折其半」,最後還是剩下一半。

千萬別說,現實環境裡不可發生這種情形,其他產業已有行之多年的模式足供參考。半導體技術從微米到次微米,去年還是0.5微米,今年變成0.35微米,馬上就是0.25微米的時代了。每年,每片晶圓上所能容納的積體電路都以倍數增加,怎麼能說不可能呢?

再看看金融體系,利用匯款通訊網路,現金一天不知道周轉幾百回、幾千回;期貨更是如此,東西都還沒生產出來,錢就在全世界轉了,所以,資源周轉是可以有無限空間,只要努力找方法,周轉率絕對可以不斷提升。

平心而論,追求快速周轉的目標,對電腦業的挑戰更高

於其他行業，要繼續吃電腦飯就得想盡辦法簡化規格、縮短流程，否則，庫存問題只會愈演愈烈。要簡化規格，必須回溯產品開發這個環節。

　　且容我再複述一次：研發人員必須能夠將生產、銷售的彈性和速度融入設計當中，這樣的產品才能立於不敗之地，如此，企業也才能立於不敗之地。

▌企業的願景 —— 人生因夢而偉大

　　現在經營企業真的很難，產業變動這麼快，產品生命週期愈來愈短，一不小心就被淘汰，如何才能長治久安？

　　還是老話一句，你得釐清「變」與「不變」。環境變動快，所以企業策略必須因應情勢，甚至每年都需要調整，不變的是什麼？是願景（願望和遠景），因為企業要存活必須靠團隊力量，成千成萬人要凝聚力量，就必須有長期共同努力的方向，這就是共同的願景了，否則目標一天到晚在變，力量一定分散。

　　舉例來說，大家都知道要因應「十倍速時代」，但問題是，什麼現象才是「十倍速」？很多「十倍速」與非「十倍速」的東西初期徵兆是一樣的，如果回應了非「十倍速」的變化，與不回應「十倍速」的變化，結果都有問題。

　　假設要研發新產品，因為我們有共同願景，已經經過「變」和「不變」的思考，可以幫助我們區分哪些趨勢值得追求；就算區分不出來，由於追求願景過程中必須建立很多基

礎，即使產業發生大變動，我們也已經鍛鍊出比較健全的體質去應變。

　　譬如說，大家都認為數位革命會發生，但不知道在哪裡發生。因為我們有個共同願景是提供最新鮮的科技，那麼我們是不是可以思考一下，這個目標在數位革命時代所需的核心競爭力是什麼？假設是分工整合的能力，那我們就必須追求這個核心能力。

　　在產業變動中，誰都不能未卜先知，但是這種比賽沒有鳴槍者在旁邊監視你不能偷跑，那何不偷偷起跑？

■ 永恆的追求

　　如果歸納成功企業的相同特質，其中之一便是共同願景，而且他們的願景都是可以追求很久，即使它已經是領導者，還是可以適用。例如，迪士尼（Disney）的共同願景是「製造快樂的公司」，它的腹地很遼闊，所有和快樂有關的事業都是它的領域，但是也很專業，它只做和快樂相關的事業。最重要的是，這個目標永遠追求不完。

　　為什麼共同願景對企業如此重要？

　　首先，共同願景能使企業運作更有效率。唯其因為大家有共同理想，才能各自在不同位置上、以不同方式努力，達到同一個目的；正因為有共同的方向，才能在路途中發現捷徑，直接穿越。

　　其次，共同願景減低資源的浪費。經過成員溝通形成共

識的目標，成功的可能性比較高，累積效果比較好，就算單一計畫或行動失敗，也能夠學習經驗、培養能力，為將來增加勝算。

第三，共同願景促進企業有效的配置資源。目前這個時代，典範不斷移轉，企業有限的資源必須要能準確放在未來最有附加價值的地方，如果過去優勢的價值已經降低，就必須即時壯士斷腕、開拓新優勢。如果死抱住舊優勢，不能把資源往有附加價值的地方移動，結果必定坐以待斃。

企業有個長期追求的願景才不會自滿，才會時時把發展新優勢放在心上，並付諸行動。

▌歷練過的遠見

共同願景不僅對企業發展有關鍵性影響，對於單一部門亦復如此。

舉例而言，會計部門的共同願景是，提供經營團隊最精確的決策依據，提高企業競爭實力，那麼，每個成員就要在自己的崗位上發展專業，鑽研產業特質，因應產業變動隨時發展出最新的決策工具。如果沒有共同願景，同仁一樣上班、照常做帳，但是五年之後，這個組織的格局完全不同，貢獻會有局限，成員的成長也會陷入停滯。

願景的形成，領導人責無旁貸。我曾不只一次被問起，共同願景的創意如何產生？我要強調的是，願景不是創意，遠見也不是天生的，而是環境和自己的努力，是在歷練過程

中不斷重複累積經驗，如果不去留意，是不可能有遠見的。

　　例如，宏碁有個共同願景是「提供新鮮科技，讓每個人、每個角落都能享用」，這個願景的產生，是因為我們曾經飽受電腦「臭」掉的煩惱，所以要追求新鮮；因為我們在美國市場吃盡苦頭，所以談「每個角落」——我們到別處去攻打。

　　在我的認知當中，遠見是可以訓練的。很多企業活動都需要投入很多資源，但是遠見的培養是成本最低的，因為動腦筋不用花錢。它是務實的，不是異想天開，所以不需要天才，關鍵在於對趨勢和環境的了解，以及知識底子要夠硬。

　　自我訓練的方法很簡單，只要隨時對身邊的事件算算命。比方說，當你看到有關蘋果電腦陷入苦戰的報導時，順便想一想這家公司未來會如何，然後當後續報導出現時，印證當初的看法正不正確，但想一下當時為什麼會這樣想？落差發生在哪裡？就可以將思考盲點找出來。

　　這個方式好處很多。自己親身嘗試，成本很高，負擔不起，而這家公司經營好壞和你無關，看報是日常生活，多動一點腦筋也用不了多少時間，藉由這種方式，你可以累積很多產業模式的經驗，久而久之，就會習慣任何事情都往遠處多想一點。

　　知識的基礎是可以磨練的。比方說，我們都有很多機會發表意見，無論是私下閒聊或公開場合，只要試著讓自己盡量避免漫談，講有意義的話，這就是訓練思考邏輯的最佳方式。再如，當每次把一件事情放進腦子時，按照因果關聯把

類似東西放在一起，就像資料檔案歸類一樣，如此，當你在腦力激盪時，很快會靈光一閃，有用的知識就出現了。

除了知識累積之外，產生遠見最關鍵的因素，還是在於貢獻人類的使命。我一向認為創意並不困難，就如同發明的機會是千百萬個，如果對人類沒有貢獻，創意和發明也不具意義。

或許有人追求的目標是開大車、住豪宅，但等你賺夠錢了，也就開始洩氣了。也就是說，所謂的遠見或願景，都必須設定在貢獻人類的層次，我們的努力才會有所本、有所堅持，並且永無止境。

團體的共同願景

釐清願景的基本原則之後，才能繼續探討共同願景是如何產生的。以下是我從實務上點點滴滴的體會，大致歸納出幾個原則。

第一，願景必須衡外情、量己力，由經營團隊共同腦力激盪形成。

要知己知彼，必須先分析企業的SWOT（優點、缺點、機會、威脅），其中，要特別重視弱點和威脅，因為人性通常不會疏忽優勢和機會，甚至還會高估，但卻會低估負面因素。把SWOT最重要的三、五項關鍵因素找出來，透過集思廣益，把遠景和目標定義出來。

當遠景定義出來之後，任務還沒結束，還要進一步釐清

關鍵成功因素，除了既有的核心競爭之外，還要找出其他尚未具備的能力，然後擬定策略和行動方案，一步步落實。

　　然而，共同願景的確立通常不會畢其功於一役，可能因為其他成員有不同意見，或在策略落實幾個回合之後修正，但一定要盡快確定下來；一旦確立，就必須透過不斷溝通，讓成員了解企業未來面臨的處境，以及追求的遠景。

▋ 因為需要，所以振奮人心

　　第二，願景要能振奮人心，要有脫穎而出的感覺。

　　要振奮人心，首先當然要能讓組織成員充分理解，進而感同身受，所以絕不能太過深奧。關於這一點，我有一點優勢，因為我的文學造詣太差，所以說出來的話大家都能懂。

　　這其實是一個非常關鍵的心態。試想，當領導人在訴說組織的共同願景時，究竟是為別人而說，還是為自己？很明顯的，這是大家的事，所以必須站在成員的立場，說他們聽得懂的話，說他需要的東西，而不是自己想要的東西。

　　也許許多上班族都有這樣的經驗，當老闆在台上侃侃談著公司遠景，同仁的反應卻十分冷淡，甚至心裡正在想著：那是你家的事！

　　宏碁有個共同願景：「家喻戶曉的全球品牌」，為什麼選擇這九個字，道理很簡單，因為台灣需要，大家都期許台灣有個世界級的品牌。這不僅和同仁有關，對整個社會都有好處，這才能夠達到振奮人心的功能。

　　許多專家都認為，企業的共同願景之所以無效，是因為溝通太少，但我認為無效的願景，大多源自於領導人是站在自己的需要，或在溝通時講自己才懂的語言所造成，說多說少並不定然是關鍵因素。

　　願景要能「脫穎而出」，首先必須是別人沒有的。其次，用字要簡短，每個字都要有關鍵意義，要抓到精神。也許聽來有點抽象，但具體方向要明確，有個最簡便的測試方法，就是當你說出這個願景時，如果能讓聽的人眼睛一亮，那就對了。

　　簡言之，共同願景要能產生效果，必須回歸溝通最基本的原則：要思考這些話對聽者有什麼意義。否則，口號一喊再喊，沒意義的終究無法取得共鳴。

▌翻新說法，傳達一貫精神

　　當願景溝通出現問題，這是領導人的問題，千萬不要把責任歸咎於同仁沒水準或太自私，也許是因為沒有找到希望傳達的關鍵訊息，或者說沒有引發聽者的興趣，解決之道是趕緊換個方式表達，例如，想出新名詞或換個方法和大家溝通，否則所謂的願景，將淪為領導人一廂情願的愚民政策。

　　舉例來說，我經常向同仁傳達建立生生不息或永續競爭力的概念，如果翻來覆去都是這兩個詞，大家聽膩了，自然就變成口號，所以要經常翻新台詞，但傳達一貫的精神。

　　例如我告訴大家，我們的處境是「打不完的拳擊賽」，

每一季都是一個回合，因為打不完，所以要為下一回合儲備體力，不能殺價競爭，盲目搶攻市場。

又如我舉棒球比賽為例，提出「三振與五振」的概念，如果我們能夠壓低管銷費用，減少人員流動，就可以多一些嘗試失敗的機會，成為五振才出局的賽局，當競爭廠商三振出局時，我們可以有多兩次的選球機會。用大家耳熟能詳的東西來詮釋，溝通起來會更順暢些。

企業之所以要有願景，是希望在千頭萬緒的發展中，抱定對的東西，而要確定它是對的，就必須透過組織對話與溝通來印證，才不會因為某個人拳頭硬、嗓門大，就把大家帶往錯的方向。

■ 依照發展狀況隨時調整

第三，願景必須不大也不小，似窄而廣，似廣而精。

前面所提迪士尼的願景，就完全符合這個原則。願景太大，焦點模糊；太小，沒有競爭力。

因為企業資源是有限的，所以必須專注；因為企業要能持續發展，所以切入之後必須舞台寬闊。例如「人人享用新鮮科技」，從概念上來說，「人人」是廣闊的，但「新鮮科技」卻是專精的。因為願景要大小適中，因此，可能在企業歷經一段長期發展之後，需要有所調整。

宏碁創業之初的共同願景，是「微處理機的園丁」（Everything for microprocessor, microprocessor for everything），

希望藉著引進微處理機，讓台灣能在第二次工業革命迎頭趕上世界水準。第二階段我們提出「龍夢成真」的願景，希望致力於國際化，讓中國人在世界舞台揚眉吐氣。

到了第三階段，整個集團已經不再僅限於科技產業，還跨足財務（宏碁資融）與科技園區的開發，當我們提出「人人享受新鮮科技」時，就必須考慮這句話能不能適用所有兄弟公司？在邁入二十一世紀之後，我們會有大大小小上百家公司，這句話涵蓋面夠不夠大？

這可是很大的挑戰。如果有人還認為，共同願景不過是畫畫大餅或喊喊口號，那我真不知該怎麼說才好。

▌似夢，卻可成真

第四，願景必須不遠也不近，似夢，卻可成真。

在我的認知裡，企業的共同願景，最少要設定在十年以上，目標太遠達不到、太近不值得追求，它絕不是唾手可得的，而且必須是多數人（當然不可能每一個人）願意執著、努力突破的。

為什麼要執著？因為執著才會成功；為什麼要有願景？因為有願景才能執著，不會分散力量，這個道理對組織來說真是太重要了。想想看，一個人都還會三心二意，幾百、幾千個人湊起來，卻沒有共同的追求，那情況真的太難想像。我們得先把長期不變的東西確立下來，透過溝通讓大家清楚，大家分頭做起來才能條條大路都通羅馬。

　　願景是可實現的夢，所謂「夢」，多多少少帶有一點感性與社會使命感。所以願景不能定點、定量，到什麼時候、賺多少錢只是企業的階段性目標，如果設定這樣的願景，套用一句年輕人的用語，很快就「玩完了」。

　　我經常在詮釋「人人享用新鮮科技」的願景時，向同仁表達這樣的概念：美國人很了不起，因為他們發明科技、改變世界，但如果我們能夠讓人人都可以輕鬆享用昂貴的科技，絕對比美國人更了不起。這不過是短短的八個字，卻足夠讓幾代宏碁全力以赴，讓美夢得以成真。

　　於是，當大家都說：人因為夢想而偉大，我更要說：企業因為願景而生生不息。

▌企業間的共同利益 —— 競合時代的到來

　　如果有朝一日，Acer變成全世界數一數二的個人電腦品牌，宏碁還要不要做代工的生意？要，要，要。

　　如果我們自問，宏碁最大的附加價值在什麼地方？無論宏碁電腦的主機板，明碁（2002年5月，明碁電腦改名為明基電通）的監視器等電腦周邊，德碁、揚智的半導體，都是關鍵零組件，既然開發了這麼多附加價值，何不分享給大家一起用，讓價值利用達到最大化？微軟和英特爾之所以能夠有今天，正因為他們將開發出來的價值分享大家一起用，而不是留著自己用。

　　如果我們將這些組件留著自己用，就得分散資源來開發

一些別人擅長、卻不見得自己在行的東西；如果這些組件不對外分享，就無法充分發揮規模優勢，結果迫使其他同業自己開發組件，功能還有可能超越我們。如此，我們用自己的組件所製造出來的系統，也不見得是有競爭力的，姑且不論對於整體產業造成的資源浪費，對自己恐怕也不是最有利的。

這就是分工整合最基本的策略思考。

宏碁是世界前十大個人電腦品牌中，唯一同時經營代工與自有品牌的特例。對宏碁而言，落實組件模式的確相當辛苦，因為代工客戶同時也是品牌競爭者，客戶會擔心和我們合作是「引狼入室」，而行銷事業單位也擔心代工訂單會排擠自有品牌業務。

但我們必須思考到，二十一世紀是所謂競爭與合作（competition and cooperation, C&C）的「競合時代」，企業間既競爭又合作，因此全球策略聯盟是宏碁最重要的策略，我們要贏，需要很多朋友，他們可能同時也是良性競爭者，大家各自在專業領域中，追求附加價值最大的貢獻，才能創造「多贏」的形勢。

追求最大附加價值的分工

組件模式對宏碁而言，除了著眼於有形業務利益之外，更重要的是，因應競合時代的到來，我們得加緊腳步進行無形的布局。

曾經讀到一篇有關日本經濟發展的報導。文中提及，

曾經信心滿滿問鼎「世界第一」的日本產業界，在消費性電子市場逐漸飽和，而數位化科技競技場上卻未能跟進的情形下，發展陷入瓶頸，信心備受打擊，呈現左支右絀的難局。

經過一番檢討，日本企業發現錯在當年將生產線移往海外的策略，造成研發和製造整合出現落差，導致產業空洞化，一如台灣近年來對製造業外移的憂慮。而日本企業的解決對策，是將生產線搬回日本，以自動化因應高人力成本，這波日本工廠「班師回朝」之風，連電視、音響、傳真機都移回日本製造。

我不禁思索，如果問題出在整合，搬回日本進行自動化究竟是不是解決之道？應該不是，如何讓產品易於整合，才能根本解決問題。

■ 重新認識分工整合

更進一步探索這個問題，我認為，無論在日本或台灣，對於「產業空洞化」的疑慮，其實是緣於對分工整合體認不夠深。

對單一企業而言，分工整合的精神所在，是每個事業單位都能不斷致力發展出它的核心價值，譬如，在宏碁集團當中，有的單位專心經營主機板，有的單位擅長周邊產品。但在分工之後，必須在各種產品技術的界面上不斷簡化和標準化，讓產品能夠迅速且容易整合，畢竟，分工之後，終歸還是需要整合。

在最有效率整合的前提下，追求最大附加價值的分工，這才是組件模式的精義。

也唯有以組件模式解決技術界面問題，才能夠讓企業克服生產據點遠在海外的整合問題，無須在高人力成本與產業空洞化的兩難局面中擺盪，讓每個事業單位都能以發揮最大能量為考量，尋找最具競爭力的投資環境。

組件模式

有許多理由，讓我堅信組件模式是企業二十一世紀「贏的策略」，這些深刻的體會，來自宏碁過去幾年間由剝而復的遭遇。

1980 年代末期，電腦產業革命席捲全球，由過去垂直整合快速蛻變為分工整合，在應變不及的情形下，宏碁經營陷入困境；而宏碁得以破繭而出，也在於順應分工整合趨勢，改採台灣生產組件、市場當地組裝電腦的「速食店模式」。隨後，組件模式成為同業廣為採行的策略。

但即便如此，當同業組件模式發展出更進一步的應用，我卻忽視了這個趨勢，也讓宏碁在享有組件模式優勢不過短短兩、三年，又必須再一次進行企業改造。

四、五年前，康柏電腦開始發展即時供貨系統，邀請組件供應商在休士頓工廠設置生產線或發貨倉庫，即時供貨。對於這個概念，當時我是無法接受的，也認為這個方法終究行不通。

　　道理很簡單。即時供貨系統（just-in-time, JIT）是豐田汽車發展出來的，眾所周知，汽車業是比較穩定的計畫生產模式，汽車廠和供應商的關係是比較沒有爭議的，而電腦業變化快速，市場變動難料，如果臨時取消訂單，彼此要怎麼分攤責任？屆時，電腦公司和供應商的權利義務關係必然糾纏不清，而合作關係也難以持久。

從觀念改造才有真力量

　　沒想到，康柏大大突破傳統客戶與供應商的權利義務概念。舉例而言，如果他取消外殼裝置的訂單，供應商可以將外裝賣到公開市場。要知道，外裝是專用的組件，並不像微處理機或記憶體是公用的。

　　康柏以突破的生意觀念，解開問題癥結，成功將這個觀念執行出來，不但自己獲益匪淺，幾家和他配合的台灣同業也產生突破的成長。

　　現在，這個觀念大家已經習以為常，但在當時真是了不起的策略創見。

　　所以我始終認為，組織要改造，一定要從觀念開始。在舊架構上擠壓效率，只會逼死人，唯有從改變商業模式著手，才會帶來最大的改善力量。

　　康柏電腦採取組件模式之後，整個庫存大大降低，從原來五十幾天降成二十天，而另一家執行組件模式也非常成功的戴爾電腦，則從三十天降到十四天。

這並非表示他們的效益提高一倍，而是他們把其中組件製造的這一段庫存，交給供應廠商負擔（當然也少賺這一段附加價值的錢），因為訂單夠大，對供應商有極大的誘因願意承擔這些庫存。

就在競爭對手庫存管理能力大幅提升的同時，1996年，由於DRAM月巨幅跌價，加上個人電腦零售市場發展未如預期，使得宏碁的庫存壓力再度湧現，海外行銷事業的庫存平均高達三十天。

一消一長的結果，宏碁行銷事業單位（regional business unit, RBU）顯然比戴爾、康柏偏高許多。

■ 運籌優化

組件模式有許多優點，但必須要有高效率的運籌體系來支援，透過組織能力將組件快速正確的整合，推向市場，才能建立產品競爭力；否則，數量龐大的組件會在產銷流程中壅塞，造成庫存積壓。

對宏碁來說，這個現象透露出兩個相當重要的訊息。第一，以行銷事業單位而言，競爭對手已經懂得利用台灣組件供應商的優點，創造速度優勢，行銷事業單位如果不能迎頭趕上，尋求運籌管理的改善，將在市場競爭居於劣勢。

其次，台灣電腦同業在與代工客戶合作下，漸具規模優勢，宏碁的生產事業單位（strategical business unit, SBU）也必須標竿管理（bench marking），否則不但將流失代工訂

單，也將危及自有品牌產品業務。

　　於是1997年初，我們立刻開展新的運籌管理體系，稱為「AQR體系」。

　　為了回應客戶少量、多樣、即時的訂單，由生產事業單位建立起「全球交貨體系」，在世界各地設立幾座組裝據點，以期能收快速回應之效。

　　簡單說，就是將生產事業單位部隊拉到市場前線，多負擔一點運籌管理的工作，來服務客戶和行銷事業單位。

　　運籌管理的改善是永無止境的，因此宏碁快速反應體系也堪稱是一樁全面而長期的改造工程。

▍企業的海外第二春

　　迎接二十一世紀的到來，宏碁立定一個「Vision 2010」（西元2010年遠景）——成為處處備受讚譽的企業。我們到每個國家都將宏碁定位為當地的企業公民，以當地繁榮與利益為經營目標。

　　我們相信，只要能為宏碁所到之處創造福祉，宏碁也一定能夠得到利益，既能貢獻社會又能蓬勃發展，所以「備受讚譽」。這是延續宏碁「世界公民」與「人人享用新鮮科技」，所推出「新增版本」的共同願景。

　　過去幾年間，宏碁「全球品牌、結合地緣」的國際化策略，透過「當地股權過半」，以授權和互信建構宏碁大家庭的共同利益，不斷深化海外事業當地化的管理。這個基礎，

讓我們在擘劃宏碁跨世紀藍圖時，更加有所依歸。

在邁向國際化的路途上，我們突破跨國企業「以股權鞏固控制權」的傳統模式，以授權與互信建構宏碁大家庭的共同利益，已成為跨國企業新典型。

宏碁「21 in 21」的策略，流傳在哈佛大學、麻省理工學院與瑞士洛桑國際管理學院的企管個案研究中；1997年5月，《亞洲企業》（*Asia Inc.*）雜誌選拔亞洲最具競爭力的企業，宏碁名列第二，僅次於日本索尼，超越豐田、松下等世界知名企業。

這些遠景與肯定，是宏碁耕耘國際市場多年，歷經挫折與挑戰所獲致的一些成果。

▌ 從挫折中成長

這麼多年來，無論是私下聊天或公開場合，企業界朋友只要一談起企業國際化，就有滿腹辛酸。不知道該說是幸運還是不幸，宏碁所遭遇的挑戰，堪稱集各家之大成，因為宏碁的國際化出發得最早，到得最遠、最廣。

宏碁行銷國際化所經歷過的問題，可以歸納出幾個模式。

模式一：找代理商合作

當企業資源相對有限時，在市場當地找代理商是最快、最省資源的做法，宏碁國際化剛起步時也採用這種模式。

然而，無論在哪個國家代理商合作關係都無法長久。台灣這樣的案例就屢見不鮮：代理商做不好就被換掉；做得

好，供應商馬上進來自己經營。

於是，代理商為了保障自己利益，就會要求供應商負責廣告、發貨、庫存；這麼一來，和自己設立公司經營也沒什麼兩樣，而且自己設公司還比較能長期深耕市場，於是，行銷大軍便開拔到市場當地。

模式二：在海外設立分公司

為了將大軍開到戰場，宏碁在海外（特別是已開發國家）百分之百轉投資了幾個子公司，規模各異，但問題雷同：有一年賺錢，第二年就一定大虧，屢試不爽，如此起起伏伏，賺少虧多。

這種情況不只發生在宏碁，台灣的母公司被海外事業拖垮的案例，不知凡幾。因為這種模式的本質，就不利於企業有效掌握海外事業的健全運作。

對海外事業負責人而言，優先考慮的是打開市場，經營手法會傾向規模大、花錢多、擴大戰場。

站在總部立場，國際化得兼顧降低成本和利潤，但是海外經營者對於降低成本並沒有切身感，虧錢有總部頂著，一有盈餘就想擴張，一擴張就失控。於是，原本希望達到深耕市場的目的，成果有限，卻反而製造出包袱。

因此，當企業既要精耕市場，又要降低海外營運風險，唯一的途徑就是在市場當地尋找合資夥伴。

市場當地的人，總是最能深入了解市場，當他們成為經營者，又擁有較高比例的股權，對企業盈虧才會產生切身感，於是「結合地緣」的策略就此誕生。

模式三：在海外成立合資事業

宏碁在市場當地尋求合資夥伴，有許多不得不然的原因。原因之一是，企業國際化所需資源龐大，而我們相較於跨國性競爭對手，資源又是如此拮据，為了降低風險，不得不就地取「材」（人才與錢財）。

其次，有些國家受限於語言與生活條件，在台灣根本找不到人願意前往。最麻煩的是，許多開發中國家都有市場保護主義，如果不透過合資，根本不可能把產品賣進去。宏碁第一個海外合資事業在巴西，就在當地政府即將開放外國人投資政策前夕，於1991年在匆忙之際簽下合資合約。

從宏碁目前所執行「當地股權過半」的策略來看，這椿合資案的確符合這個策略精神，因為宏碁僅擁有19％股權，但它卻是我們日後深深引以為鑑的失敗案例。因為當時巴西政府對供應商要求條件非常嚴苛，也因為當時宏碁的規模不若今日，我們匆忙簽訂許多條件，都處於非常弱勢的地位。結果只能用四個字來形容：完全失控。

在往後幾年間，我們花了許多時間，溝通又溝通，成果依然有限，後來康柏電腦進入巴西，宏碁在當地市場陷入苦戰，為了解決這個問題，拉丁美洲宏碁最後以七百萬美元的代價，才讓巴西重新「歸隊」。

在經歷過巴西合資案的教訓後，宏碁處理所有合資案都謹慎許多，就算遭遇問題也比較能掌握處理要領。雖然如此，但並不表示此後的合資事業都「過著幸福快樂的日子」。

在曾經發生的案例中，有合資夥伴因為集團事業龐大，

包括其他的科技事業，給予合資事業的支援就相對有限，特別是人才部分；有位夥伴在經營一段時日之後，因為無法達到預期成績之後離去，宏碁先將這部分股權買回，後來另外尋找理念相同的高手，還是邀請他入股成為合夥人。

再如澳洲宏碁，直至最近由宏碁一位老幹部臨危受命擔任第五任總經理，才總算漸有起色，在穩定中我們也看到這個市場未來的機會，並不遜於美國與歐洲。

▋ 因地制宜的模式

國際化就是這麼難。宏碁在全世界三十八個國家設立行銷據點，面對的就是三十八種不同的環境、三十八種競爭對手的組合，以及其衍生出來的不同問題，沒有一套方式可以放諸四海皆準；最難的是，即使成功克服了問題，也不保證同樣的做法，在兩、三年後還能繼續奏效。所有的策略不但要因地制宜，還要因時制宜。

國際化就表示距離遙遠，不結合地緣也得結合地緣，非如此無法長久經營，而結合地緣就產生組織能力的問題。如果策略執行者無法充分互信，合作關係就進入負面循環，質疑、觀望或撤退立刻接踵而至。這一路走來，如果不是宏碁授權的企業文化行之已久，「世界公民」的願景讓我們持之以恆，平心而論，真是非常難。

舉例而言，宏碁的結合地緣在拉丁美洲運作得還不錯。我們的合作夥伴原本是宏碁在墨西哥的代理商，在當地也有

其他事業，但並不是科技業，他們非常專注的幫宏碁在墨西哥做到第一品牌。有了長期互信的基礎之後，我們擴大合作，雙方股權各半成立拉丁美洲宏碁，在美國邁阿密與墨西哥設立了雙總部。

這樣做的好處是，墨西哥總部可以做到地區性的結合地緣；而邁阿密總部則便於與台灣總部聯絡，並支持拉丁美洲各國之運籌中心。

除了「墨西哥模式」之外，宏碁另一個運作得比較順利的結合地緣，則是馬來西亞模式。

■ 長期耕耘理念，建構互信關係

宏碁在馬來西亞的投資從1989年開始，先是明碁在檳城設立電腦周邊工廠，然後宏碁國際在吉隆坡設立馬來西亞宏碁公司，負責電腦產品行銷業務。現在，明碁在檳城有三千多位員工，只有三位是台灣派過去的同仁；馬來西亞宏碁有兩百多位同仁，只有一位是台灣派過去的同仁林義萬。

1990年，林義萬單槍匹馬前往馬來西亞開發市場，從招募員工、建立經銷體系開始慢慢奠定基礎。兩年之後宏碁躍升馬來西亞第一品牌，如今有十六個分支機構、四千家經銷商遍布全國，是馬來西亞服務網最廣的電腦公司。

現在，馬來西亞宏碁已經是一個電腦集團，除了宏碁的產品之外，還代理許多其他品牌的電腦產品，未來還將跨足軟體服務業。

　　馬來西亞宏碁的發展模式，其實就像宏碁在台灣的創業
歷程，除了最初的資本額由總部支援，後來都是靠盈餘繼續
投資，同時也推動當地員工入股。目前當地員工持股比率已
經到達15％，預計在股票上市之後，當地股權將會過半。

　　到目前為止，馬來西亞還沒有一個成功的在地科技集
團，表現比較突出的都是外商，我們希望馬來西亞宏碁可以
成為第一家成功的在地科技集團。

　　宏碁在馬來西亞有這樣的成績，靠的不是技術，也不僅
是管理能力，更重要的是理念的長期耕耘。

　　從落實的成果來分析，當企業規模還小時便開始執行員
工入股，有足夠時間和幹部形成有效的夥伴關係，當企業繼
續生根茁壯，總部再將經營大權交出，經營團隊能夠感受宏
碁的誠意，彼此有共同文化建構堅固的互信關係，如此，結
合地緣的成效是比較好的。

■ 按部就班，朝結合地緣邁進

　　無論在什麼地方，我們一直把員工當成合夥人，以子公
司的利益為利益，就如同父母愛子女，傾全力希望它過得更
好、經營成功，這和許多跨國公司全然以母公司利潤來思考
是截然不同的。

　　但是如果合作關係不是從小開始培養起，太過快速將經
營權當地化，夥伴並不能充分理解我們的苦心，大權得來太
過容易就會導致失控，宏碁在巴西合資的失敗原因也就在此。

因此，在經歷諸多成敗經驗之後，宏碁開發大陸市場的方式就是採取馬來西亞模式。雖然絕大多數外商科技公司在大陸都採取合資的做法，迅速擴張市場，但我們仍然堅持初期採行獨資，按部就班奠定基礎，目前在個人電腦市場占有率為第八位，發展狀況並不遜於其他外商。未來，我們希望也能在大陸推動員工入股，朝結合地緣的目標邁進。

宏碁推動國際化至今，碰到的困難、付出的學費，真是數都數不清。如果單從帳面上來看，宏碁的生產事業單位在製造方面的獲利，遠超出行銷事業單位在市場行銷的表現，甚至內部同仁也偶有牢騷，這也是許多企業放棄國際化戰場的主要原因，但我認為，這樣比較失之偏頗。

■ 無形資產決勝市場

首先，行銷本來就是台灣企業較弱的一環，事實上也不只台灣，連實力強大如日本企業，在歐美市場遭遇挫敗都時有所聞。因為有形物質的製造，要達到經濟規模或供過於求，本質上就比有效拓銷更加容易。

試想，一個工廠從興建、安裝機器到量產，大概兩、三年時間，但三年對行銷而言，可能只是初步打開知名度而已；從投資報酬的角度來看，生產績效立即可以評估，但行銷投資側重無形資產的累積，無論是品牌、形象或服務，沒有三、五年是看不出成效的。

因此，對企業而言，必須著眼於平衡的角度，一方面掌

握住能達到規模、事半功倍的製造功能；另一方面，只要有一口氣在，就不能放棄品牌與市場行銷這類長期奠基的工作。

▓ 出人意表的成果

事實上，行銷事業的發展空間是無限寬廣的，宏碁科技在台灣就是如此，如果照一般的思考方式，宏碁科技最多就是在台灣取得個人電腦第一品牌，但事實證明，宏碁科技的經營格局超越個人電腦領域。

當宏碁集團開始發展通訊產品與消費性電子產品，以及零組件物流業務，正由於有行銷體系的基礎，才能提供整個集團繼續成長的空間。

如果剖析企業國際化的本質就不難發現，歸根結柢，這場戰爭最後的決勝關鍵，還是那句老話：無形資產重於有形資產！

這是擅長製造的台灣企業，不得不去面對與學習的遊戲規則，而宏碁能以「結合地緣」突破國際化瓶頸，所憑藉的也正是「分享經營權」這個經營理念，這又是宏碁另一個寶貴的無形資產。

第六章

鮮活的社會觀

——心靈重於物質的文明社會

這個年代，
我們得學會尊重別人的價值觀。
在多元化社會，
更要鼓勵追求滿足的不同模式，
社會才會平衡。

　　1997年，在幾樁重大刑案發生之後，李登輝總統開始倡導「心靈改革」運動，然而對於這四個字，社會大眾的解讀方式卻有極大差異。有些人認為，提倡心靈改革是因為這個社會「變得」貪婪；也有人覺得，這不過是平添另一個政府「雷聲大雨點小」的「官樣」運動。

　　不幸的是，就在這個運動即將開展之際，台灣又發生一件擄人勒贖撕票案，帶給台灣可謂前所未見的震撼。在這樣的氣氛圍繞之下，心靈改革運動竟成了極沉痛的反諷，這項許多人寄望極高的社會改造工程，也漸少再被提及。

▋ 再談心靈改革

　　心靈改革不再重要了嗎？我想，答案顯然是否定的。因為台灣總要向前走、往前看。

　　在紛紜眾說中，與其怨懟或批評造成我們心靈更加煩亂，還不如心平氣和探索問題的源頭。如果不能在千頭萬緒的生活當中，透過討論理出一些共識，就無法塑造有利於生活品質提升的價值觀，更無法形成讓社會永續進步、有效的發動力。衷心期待願意一起貢獻智慧的有心人。

　　談起心靈改革，許多人自然而然就要歸咎於「世風日下，人心不古」。關於這個論點，我必須直言，我完全不能認同。中國人說這句話總有千百年歷史了，發明這句話的老祖宗好像具有先見之明一般，一定比我們高明，難道真是如此？

　　再換個角度想，如果說「一代不如一代」這句話可以成

立，那為什麼我們也認為，這一代的台灣人正享有中國五千年來最富裕與民主的生活？這又做何解釋？

　　所以，談心靈改革，並不是要否定現在，也不是為了否定過去。從客觀上來說，整個大環境也已經「不古」，政治從權威而民主，誰也不服誰；經濟結構從農業社會變成工商社會，物質條件變得富裕；教育普及，行行出狀元。

　　許多人憂慮這種思考與言論的多元化是社會倒退的亂象，我並不以為然，究其根源，是因為當社會在快速進步時，忽然間，我們發現，這個環境缺少與現代社會配套的價值觀，許多過去的行為準則和思考模式，和現代動態社會不吻合，心境在環境轉換間發生落差，因而產生「亂」的感覺。

　　我認為，說出「人心不古」的那位祖先，可能是因為對社會變遷不習慣才產生如此慨嘆。而生活在今天的現代人，應該有實事求是的現代化精神，與其嘆息人心，還不如探究變遷的本質，思考如何建立符合時代潮流的價值觀。

　　因此，在這個節骨眼上談「心靈改革」，並非要消極的否定任何人，而是有相當積極的意義 —— 為了更好的未來，大家齊心合力調整社會價值觀的落差，以起而力行取代空嘆世風，如此才真是全民之福。

▋「變」與「不變」

　　我想，任何趨勢當中，總有一些是變的，一些是不變的。既然稱為「世風」，那就意謂這是會隨著社會潮流、風

氣大勢而變動的；既然會隨客觀環境而變，就談不上「日下」。但在變遷過程中，有些準則是不變的，例如基本的是非道德。

舉例而言，追求自己利益不能傷害他人利益，這是不會變的，所以如果年輕人有兩把刷子，用正當手法追求利益，我們可不能說他是「人心不古」。

再談「享受生活」的觀念，這是目前存在新舊兩代間最大的歧見之一。但很明顯的，每一代享受生活的方式都不一樣，如果一個人既沒有妨害別人權益，也沒有破壞生生不息的自然法則，那他想出一套新模式來享受人生，我們卻將其視為「人心不古」，這如何能說得通？想想我們和上一代不也有代溝，我們必須認同，不同世代原本就會存在差異。

換個角度想，今天的新新人類其實是我們苦心栽培出來的。我們常說，自己辛苦打拚是為了讓下一代有更好的生活，不要讓他們和我們吃同樣的苦，那為什麼當新新人類真的如我們所願，得到更好的生活，我們卻要說「一代不如一代」，豈不是自相矛盾？

■ 認清多元，見怪不怪

但是，當年輕一代在原則問題發生誤差時，我們這一代有經驗的人必須負起說服他們的責任，並產生共識。每個人的價值觀都不同，我們不可能強迫周遭的人價值觀都和自己一模一樣，只能以溝通一些關鍵原則取代事事管制，才容易

取得共識。

更進一步說，在多元化的社會中，我們不但要容許、更要鼓勵不同追求滿足的模式，這樣社會才會平衡；否則，如果社會各階層都如同政治角力場中，只有占住少數位置的人才能得到滿足，多數人都活在不滿當中，這樣社會如何能夠平衡？

今天台灣的問題是，當社會慢慢朝向多元價值的平衡體系時，許多人產生不適應，為什麼現代人要求這麼多？這麼不容易滿足？

於是，「人心不古」這樣的字眼就出現了。這就是因為無法認清多元化社會本來就有多元的滿足模式，而產生心理調適的問題。

如果我們談心靈改革時，不能把「變」和「不變」的東西釐清，就會產生問題。

也就是說，我們得把不變的原則先找出來，形成共識，如此，當我們面對變動或變遷時，不但見怪不怪，並鼓勵大家在可變範疇中創新，追求更多元化的價值觀，才能讓社會形成平衡體系。

▌擁有較多資源者應為表率

於是，我們就必須探究，社會變遷過程中，塑造新價值觀的責任究竟要由誰肩負？在家庭，家長必須擔當；在國家，政府更加責無旁貸，不能用一句「逆子」或「刁民」就

把責任撇清。

同樣的，如果論及勞資關係，或是消費者與廠商產生糾紛，我想，當彼此產生誤解初期，企業主都應該負起溝通的責任，甚至到問題產生時，原則上資方都還是應該負較多的責任，因為擁有較多資源的人應該做為表率，負更大責任。

但現在當勞資產生糾紛時，許多企業主總會怪罪勞方要求不合理，「員工有什麼立場和老闆談條件？」甚至，還把根源歸咎於《勞動基準法》，視其為罪魁禍首。

或者，許多老闆認為分紅或發放獎金是給員工恩惠，而不是當作公司永續發展的凝聚力，也不曾將同仁視為利益共同體。像這樣的想法，不要說到新新人類這代，眼前這一代員工也不會認同。

▌不同價值觀不是「亂」

我們要認清，時代不同了，我們得認同並尊重別人的價值觀；教育普及了，傳統愚民政策的管理方式當然不合時宜了。當汽車發明之後，交通規則自然非改變不可，現在網路問世了，可以想見未來網路禮儀和目前的禮節標準一定不一樣。用現有思考模式去想未來生活型態，當然會格格不入。

我認為，這種因環境改變而產生價值觀的不同，不能稱為「亂」。什麼叫作「亂」？在農業社會裡，過的是「日出而作、日入而息」的生活，一天有多少活動？活動這麼少，怎麼會有亂的根源？

今天大家日常活動這麼多，每天忙得頭昏腦脹，一天的活動比老祖宗幾年都多，不亂才怪，我們得見亂不亂，因為那本來就不叫「亂」，是人自己心裡覺得亂，我們不能把自然該產生的現象當作「亂」，更不能把員工爭取權益或追根究柢的精神，歸結為一個「亂」字。

如果不能將這個認知釐清，許多人際互動關係改變所產生的自然現象，都會變成無解的難題。

精神建設更要投資

今天談「心靈改革」，有一個非常重要的時代背景因素，因為二十世紀是無形重於有形的世紀。具體例證是，美國最近經濟實力重顯雄風，主要憑藉的都是看不見的東西——創新、管理、智慧財產權。

我們不斷在追求生活品質的提升，但從有形的物質層面而言，很容易就會達到一個適當品質的滿足點，要持續提升品質，就得從無形層面來獲致。

從另一個角度來說，生活品質提升必須借助經濟發展，而擺在眼前的現況是，台灣經濟要更上層樓，有賴法令制度與文化等無形層面的提升，才能進一步帶動物質生活的水準，這是環環相扣、互為因果的。

過去，我們有十大建設、六年國建等來主導國家發展，可是從來沒有十大精神建設做為發展的里程碑；我們捨得花費幾千億建鐵路，卻吝於拿出其中千分之一來改造心靈。事

實上，心靈建設影響之深遠不下於硬體建設，那麼，我們要不要投資進行這些建設？

以目前而言，政府當然沒有這筆預算，但若大家都認同此事非做不可，我建議把各部會預算，第一年提撥1％、第二年編2％，逐年提升至5％，將這筆心靈改革預算一半用於內部，讓行政革新從心靈改造做起，對公務員進行再教育，塑造新價值觀，另外一半則對外推廣與各部會業務有關的心靈改造。

我相信，透過環境與組織氣候的改善，即使預算減少1％～5％，執行績效不論品質與數量都只會比從前更進步。因為心靈改革的功能，就是在塑造一個有效環境，使每個人、每天的生活與工作能享有比較高的效益，從而達到社會資源總和的最大化。

▌ 從公務員做起

例如，我們要塑造「人性本善」的價值觀，可以將屬於內部的一半經費用於研究法令，找到有效的方案來修訂並鬆綁規章，另一半用於和外界溝通，並吸引傳播媒體共同投入。

既然要對外推廣，就必須有行銷觀念，從政府的角度來說，這種價值觀就是一項無形商品，要讓大眾接受它；一旦民眾願意「購買」這個商品，立刻就能一呼百應，蔚為潮流。

從過去政府推動各種「運動」的經驗裡，我並不主張讓「心靈改造」再度冠上「全民運動」的帽子，因為如此往往重

蹈政府置身事外的覆轍。

　　畢竟，以各行各業來說，影響力最大的還是公務員，因為執行公務影響層面比平常民眾大得多，這也是我建議公務員教育應置於心靈改造經費優先考量的原因（當然，身為企業經營者，我也會盡力在工作崗位上推動此事）。

　　類似價值觀這樣層次很高的議題，要能落實到很多活動有個重要關鍵，心靈改造如果能讓人人都是宗教家，自然就會產生正面效應，就如同宗教裡有見證或報應的概念一樣，讓每個人都去影響周遭的人。

　　童子軍所遵行的「日行一善」還不夠，得更積極做到「日言一善」，因為談文化必須言行並進。以「日言一善」來說，過去媒體實在做得太少，不僅太少言善，甚至還是「日揚一惡」，這對價值觀多少產生負面影響。要改變這樣的情況，就必須更積極的讓整個社會都能天天行善言善，才能導入正面的循環。

■ 從「心」做起

　　落實到日常生活，例如我們經常面對的婚喪喜慶，保留傳統禮俗的精神確有其必要，但也應因應工商社會做部分調整。內政部以前曾經推動類似倡導簡樸的運動，但我認為可以再研究提供更多重選擇，並繼續強化推行。

　　一般而言，目前許多人對於喪禮舉行的方式是較有異議的。誠然，有許多人是靠著這些舊習俗生活的，一旦改變就

會造成生計問題，但我們能否換個角度思考，由政府輔導殯葬服務業升級，讓從業者都有飯吃，而整個社會不會繼續產生負面影響。

這種日常生活有關的價值觀，看起來無關緊要，但傳達的意義卻格外深遠。時下許多豪門名流舉辦婚喪喜慶的鋪張，造成負面示範效果，而鄧小平身後只將遺體火化，將骨灰一撒，卻有不少人都能認同這樣做法。其實不管婚喪，都是自然感情的流露，為什麼會關係到面子問題？

如果有人認為，不追求這些表面形式，人生還有什麼意義？那麼心靈改革也就無從著力了。

相信大家都曾熟讀，民國二十三年國民政府曾經推行過「新生活運動」，提倡「整齊、清潔、簡單、樸素、迅速、確實」，以當時的時空環境來說，這些觀念是新鮮的，所以實行起來也頗有成效；但如果同樣運動放在今天的環境裡，雖然都還是正確的卻顯得有點八股。

也就是說，今天我們要「從心」做起，就必須有一些新思考模式，用宏碁的用語，我們稱為「鮮活思維」。

不留一手

「不留一手」是可以影響層面極廣的價值觀。如果大家都可以不藏私，將經驗廣為分享，則能促進社會快速進步。

目前，大家總認為「留一手」才能在競爭中出頭，其實是本末倒置，因為競爭的目的是為了進步，社會的進步本來

就是永無止境，分享經驗會讓大家共同進步，但並不會讓自己落伍。如果能夠把這個觀念建立起來，惡性競爭自然而然就會漸漸減少。

這種「利己必先利他」的觀念，如果媒體能多多出現因「利他」而成功的典範，則能改變目前社會汲汲營私的風氣。因為任何人生目標的完成都不能單靠一己之力，必須周遭許多人共同投入，因此，成就自己之前必須成全別人。

舉例來說，宏碁有個「不留一手的師傅」的傳統，我們的初衷，是要建立智慧分享與傳承的內部環境，這個理想到今天仍然適用，但我們必須更積極思考，當一個人不藏私、不留一手之後，當然更要精益求精，發展出更好的模式，除了讓自己保持持續進步的競爭力之外，更重要的是，使自己的經驗能對別人產生更大效益。

這就好比教授雖然不留一手，但是學生都聽不懂，或是內容陳舊貧乏，貢獻終究有限。同樣的，企業成員無論面對同事或面對市場，都必須隨時動腦筋，將智慧轉換成別人能夠接受的方法，而不是一味的自以為是、自說自話，卻得不到共鳴，這可就不是「不留一手」的精神。

但在目前激烈競爭的環境中，大家都在追求核心競爭優勢，是不是互相矛盾？

因分享進步更快

首先，有個基本觀念必須釐清：分享技術、彼此合作

時，並不會影響自己進步，而是大家一起進步。害怕競爭，往往是源於沒有自信。

在傳統觀念裡，老闆如果不留一手，萬一將來夥計自立門戶，回過頭來和自己打對台，豈不是養虎貽患？但問題是，就算老闆不教，難道夥計自己學不會？如果你不傾囊相授，彼此之間產生芥蒂，將來他自立門戶一定更加不留情面。

保護自己是天生自然的，但技術轉移時如果胸有成竹，至少產生兩種好處。

第一、因技術轉移而產生收益。一方面由於技術移轉後更加普及，擴大市場，產生規模經濟，可以降低成本；另一方面，技術移轉的收入可以再投資於研究開發新技術，讓自己繼續升級，產生更多收益。

第二，技術移轉讓組織成員常保危機意識，開發新看家本領，常抱著舊本領不放，反而容易讓整個組織產生怠惰。這個世界本來就是不進則退，唯其不留一手，進步才會加快。

「不留一手」的觀念，過去從不曾成為中國社會價值的中流砥柱，但對今天的台灣而言，卻是一種兼具包容性與關聯效果的「龍頭」觀念，值得我們把握機會推及社會各階層。讓我們為心靈改造注入鮮活思維，用行動彩繪二十一世紀台灣的新風貌。

文明與野蠻

曾經在一場學術研討會當中，聽到清華大學許文星教

授談到一個有趣的論點。他在分析二十一世紀資訊時代發展趨勢時，提出一個「文明人」的概念，例如精神文化重於物質，以智慧的產出為主、勞力的產出為輔等等。

許教授同時也指出，目前依然處在開發中國家型態的台灣，仍是處於野蠻人階段，還得力爭上游，才能達到文明人的地步。

以這個標準來看，宏碁還是野蠻人，因為我們靠硬體起家。我們也試圖讓自己文明一點，但到底如何才能文明？這並不是件簡單的事情。

舉個簡單例子。早在1992年，美國《哈佛商業評論》就已經提出一個概念：美國電腦業應該成為「不製造電腦的電腦公司」（computerless computer company）以及「無晶圓廠的半導體公司」（fabless semiconductor company）。

■ 放不下有形

美國學術界當時已經看出，生產電腦的電腦公司和生產半導體的半導體公司，充其量也不過是比較文明的野蠻人，因此，像蘋果電腦這樣的公司應該變成一家軟體公司，但是時至今日，蘋果電腦尚無法放棄生產電腦。

原因何在？因為人們對於有形的東西還是比較看重的。

過去幾年，我到世界各國，不管東南亞、大陸、中南美洲，都在談產業發展，腦袋裡盡是發展有形資產的策略。

誠然，經濟成長的歷程，的確必須先跨越物質這道關卡

才能談其他，但這樣的策略能借重多久？比重多大？這是值得研究的。

■ 將思考盲點轉化為優勢

　　設想十年、二十年以後，如果中國大陸還是靠勞力密集產業來支撐經濟成長，必然會遭到相當大的限制，因為屆時極可能只需要十萬分之一或百萬分之一的人口來從事生產工作，便已足敷全世界人口所需，因為科技進步會使得產能突飛猛進。當全世界有形物質供過於求，高度依賴製造有形物質為發展動力的國家，成長便會後繼乏力。

　　競爭力是與價值成正比，與成本成反比，而衡量價值與成本時，必須思考到無形的、間接的和未來的發展趨勢，而這三者卻恰好是人們思考的盲點，因為人性總是著重於眼前的、有形的和直接相關的利益。但是反過來想，正因為這是多數人的弱點，當我們突破這個思考盲點，便可以轉變成我們的優勢。

　　也可以說，我們必須從無形的、間接的和未來的這三方面去思考，台灣的發展空間才能真正開闊起來，因此，有兩個領域就不得不重視，一個是學術，一個是軟體。

　　學術研究對任何國家與組織而言，都是層次最高的。學術是國家競爭力之本，但學術要對國家有所助益，則在於實際應用；換言之，學術應用是國家競爭力之實。

　　因此，如果從應用面來審視學術發展，我們必須探索一

個最上層的理念問題：學術研究的源頭是什麼？是追求個人學術的成就感，還是對人類與國家社會有多少貢獻？

幸運的是，以目前的社會環境，這兩者是可以結合的，不像百年之前，許多藝術家或思想家卻是在身後多年才被外界肯定，這不能不說是一種遺憾。同樣的，在目前的環境當中，如果學術研究不能把個人的成就動機和社會需求整合為一，也是一種遺憾。

從這個角度來看，也許學術界朋友可以思考一下，自己所從事的研究原始動機是什麼？是因為這個研究容易拿到國科會經費補助？還是因為自己只擅長這個領域？是否可能逼著自己去思考，在自己專業領域裡發展出國家或世界所需要的知識？如此發展出來的研究方向應該會更務實一些。

■ 增強競爭也要配合獎勵

除了價值觀的重新省思之外，我們還必須探究整個學術界的機制問題。

目前國內的學術研究大抵仰賴國科會和學術機構的支援，平心而論，競爭的動力並不充分，而眾所周知，競爭是進步最大的鞭策力量，因此我們是否能更積極的思考，如何增強學術環境的競爭機制，帶動研究品質的提升。

當然，對任何組織而言，有效的機制運作，除了競爭之外，同時也要配合獎勵措施。

直到今天，多數人仍認為學術研究是個清高的工作，它

的報酬是在精神層面，然而，只有精神報償，卻缺乏其他方面的回饋，是否合理？為什麼不能同時提供學者物質方面的改善？也許當事人無所謂，但是支持他的家人是否同樣無所謂？這是非常現實的問題。如何提升學術研究的誘因，是相當值得思考的問題。

■ 閒置菁英是最大浪費

讓我們想一想，在台灣，傑出學術人才成就感的來源是什麼？有沒有貢獻國家的途徑？過去有所謂「學而優則仕」，雖然政治是國家發展的龍頭，但學者從政所能落實的學術資源還是相當有限的，重要的還是如何將學術資源更積極的應用到社會進步之上。

學術界對國家競爭力的影響，可以極大，也可以極小。影響極小的狀態，是由於學術研究沒有和國家社會需求掛鉤，所以無從發揮影響力。

毋庸置疑，學術界聚集國家最傑出的菁英，因此，學術界影響力愈小就代表資源浪費愈大。

試想，目前國內學術界有沒有閒置的人力與設備？這些寶貴的學術資源只要有一點閒置，所造成國家競爭力的耗損，相對於其他領域都是更龐大的；也就是說，學術界對於國家的影響力，不管表面上看來強弱或明顯與否，實質都是非常巨大的。

那麼，若要充分發揮學術界既有資源來提升國家競爭

力，有哪些著力點？

　　常聽人感嘆，台灣的學術環境很難培養出大師級人物，什麼是大師？是不是非得創出放諸四海皆準的理論不可？在許多領域的確是，但也並非全然如此。

■ 扎根於現況的研究亦能有益國際

　　舉例來說，我們承認馬克思是大師，共產主義是社會科學劃時代的學術理論，但很明顯的，共產主義並不是針對全世界每個國家所提出的理論；而愛滋病或癌症的醫藥研究，更是針對特定族群的研究。

　　那麼，國內學界能不能針對台灣現階段發展的特殊議題，潛心專精研究？

　　也許歐美學界對這些議題不感興趣，但和台灣處於類似狀況、或即將處於此狀況的眾多國家，人口比先進國家多得多，在此情況下所做的研究，是不是對人類的貢獻更大、影響更深遠？

　　而且因為研究寄託在這片土地上所面臨的問題，它就不會是空中樓閣，根基必定更加扎實。

　　事實上，第三世界國家面對二十一世紀資訊社會的劇變，不管是社會科學或科技研究領域，所面臨的課題可謂千頭萬緒。

　　例如，馬來西亞通過Cyber Law（電子資訊傳輸管理法案），從政治角度來看，可能只是通過一項法案，但如果從

社會發展的變動來看，可以著手的研究多不勝數，像是開發中國家如何因應資訊化社會，類似議題正是台灣學術界可以貢獻智慧之處。

▓ 要國際化得靠自己走出去

在我的觀察當中，雖然台灣經濟發展程度較高，國際化程度其實比東南亞國家落後。關於這點，我們沒有第二條路，只有自己主動走出去。

1989年我提出「世界公民」的口號，基本理念正是如此。對很多人來說，台灣是國際孤兒，到處被孤立，實在非常弱勢，但若反過來想這卻是一個優勢，如果我們把心態這麼一擺，真的能做到四海為家，就根本沒有國籍的框框，雖然我們還是以中華民國為榮，但在行為上卻可以和全球打成一片。三、五十年之後，台灣可以比美國、日本更加國際化。

其次，我們要國際化，但在目前各國人才擁擠、訊息擁擠、成果擁擠的情形下，想出頭必然要有一些被肯定與認同的成果。同樣的，我們也沒有第二條路，必定要發展出不同於美國、日本目前專長領域的成果。

因為客觀條件沒辦法和他們相比，所以我們必須更有策略，著眼於未來可能很重要，或者是符合我們自己定位的領域。例如，開發中國家的發展模式，不管是科技、社會、政治、環保、種族與勞資關係，因為開發中國家的人口比先進國家更多，這些研究所能貢獻的層面也更廣。

　　如果，我們能發展出這個領域最獨到的理論基礎，才有
機會在國際間和先進國家的學術界人士平起平坐。在國際性
學術場合，大家各擅勝場，他們的成就是很了不起，但我們
也不差，而且可能有更多人欣賞，因為美國人所說的高不可
攀，我們所說的卻能讓多數人心有戚戚焉，台灣學術界在國
際間的地位才有機會更上層樓。

　　更進一步說，當我們將這些堅實理論基礎運用在國家發
展，讓台灣走出一條有別於歐美、日本的成長之路，才能擺
脫多年來尾隨在這些國家之後、苦苦追趕的局面。

▓ 新工業革命 ── 軟體開發

　　每當我思考台灣的軟體發展時，心頭總會浮現二十年前
一幕令我終生難忘的情景。

　　宏碁創辦初期，為了推廣公司所代理的微處理機，我到
中山科學院拜訪周誠寬先生。他勉勵我們，引擎的發明帶動
世界工業革命，中國因為無法趕上工業革命的浪潮而積弱百
年，而微處理機的問世，無疑開啟了第二次工業革命，這次
我們不但要跟進，更要迎頭趕上。

　　他說：「你們願意朝這個目標努力，很好；如果你們不
能好好掌握這次機會，就會變成歷史的罪人。」

　　周先生一席話道出我們創辦宏碁的使命。我們之所以創
業，正是因為認同微處理機的發展，也相信這項產品將啟動
腦力革命的新紀元，而腦礦的開發不只使人們腦力倍增，而

是百倍增、千倍增,台灣唯有在第二次工業革命中於國際間取得一席之地,才能為後世奠下堅實的發展基礎。

從目前資訊產品與半導體的發展檢視,如今已躋身世界第三大資訊產品製造國的台灣,算是跟上這波潮流。

然而,這只是其中一個小環節,因為資訊工業並不等於資訊社會,在資訊業的附加價值曲線(我稱之為「微笑曲線」,請參閱拙著《利他,最好的利己》),資訊工業是附加價值較低的部分,而附加價值較高的資訊應用,也就是軟體開發領域,卻是台灣較弱的環節。

一直以來,台灣都側重控制性與功能性的軟體(例如與硬體整個相關的軟體),但除此之外軟體市場還有非常廣大的範疇,特別是創作性的軟體,台灣顯然未能趕上世界水平。

台灣雖然是資訊產業初步的領先者,卻是全球資訊應用的落後者,我們製造一大堆武器(硬體)給人家,人家用來提高競爭力之後來打我們。如果我們無法在發展資訊工業多年有成之後,同步提升軟體開發實力,當資訊社會時代來臨,台灣將會在世界競爭力的爭先賽中面臨危機,而我們就會變成歷史的罪人。

▌知識就是力量

如何使台灣成為資訊社會中的贏家?相信所有關心台灣的有識之士都正努力尋求關鍵之方,而從我的角度來看,追本溯源,必須從心靈改造著手。

乍聽之下可能不免有人懷疑，心靈和資訊能有什麼關聯？何以兩者還存在因果關係？讓我們思索一下，資訊社會最大的特質為何？我想，「無形資產價值勝於有形資產」這句話差可涵蓋，台灣的軟體實力所以未能與硬體產出齊頭並進，歸根結柢，正是因為直至今日台灣社會仍是「有形資產掛帥」的價值觀。

例如，我們常聽到這樣的評價：某某人收入豐厚，條件很好；某某人學識豐富，「可惜」兩袖清風。言外之意，有學問、沒財富，到底還是有瑕疵，也因此社會才會充斥急功近利的投機行為。但在資訊社會中，「知識就是力量」，學識不但可以轉換成財富，價值比有形資產更高，而且更能持久生財。

從另一方面來看，傳統價值當中，藝術家必須曲高和寡才表示成就不凡，因此多數藝術家終其一生貧苦孤寂。但資訊社會的精神正是資訊的流通與分享，在此趨勢下，藝術將從專屬貴族獨享而日益大眾化，獨樂樂不如眾樂樂，創作曲高和眾的藝術不但帶來名利，更是對人類層面更廣的貢獻。

換言之，如果希望台灣順利進入資訊社會，便必須樹立「無形勝於有形」、「追求名利光明磊落」的價值觀，而這不正是心靈改革的精義？

▌用軟體實力扭轉劣勢

如何提升台灣軟體實力？關鍵在於塑造有利創作的環

境；而創作的原動力，我認為是市場而不是自我滿足。

建築師設計神聖宏偉的教堂，因為市場需要一個莊嚴的環境來望彌撒或做禮拜；因為要聽音樂、看繪畫，藝術品才會產生、流傳。「供給因需求而產生」，這是簡單的經濟法則，從另一個角度來看，創作的機會是無窮多的，但創作若沒有人欣賞，等於毫無效益。

而軟體創作不同於一般創作，它比之有形物品更加不拘形式。要開發一個為市場所接受的軟體，關係到的不只是技術，行銷能力高低關係甚且更有過之，麻煩的是，由於台灣市場規模小，加上長期偏重有形的積習，這項客觀條件還是台灣較弱的一環。

因為它太重要了，我們沒有本錢忽視它，而非常幸運的，眼前台灣正有個扭轉劣勢的絕佳契機。

我們可以發現，過去軟體都是比較全球性的，放諸四海皆可用，所以讓美國產品到處輕易囊括市場。未來，資訊產品即將走入生活，意謂資訊產品必須和各地文化風俗整合在一起；換言之，軟體的市場需求將逐漸當地化，就如同歌曲、書籍一樣。於是，無論美國創作力再怎麼領先，也不可能壟斷每個市場。

▌加強投資，塑造環境

放眼國際，當華人市場逐漸形成，如果我們不能掌握機會增強能力，塑造軟體創作的環境，將會在資訊社會的競賽

中遭淘汰。因為我們製造一大堆附加價值低的軟體，卻買進一大堆附加價值高的軟體，這種算盤不管怎麼打，都不可能生生不息的。

　　為資訊社會打造基礎，首先便要投資塑造環境。任何新環境的塑造都需要先投資，不會從天上掉下來，而有能力投資的無非是擁有資源較多的人，政府、企業或是有志於此的創作者，都應該投入其中。

　　其次，做為研發工程領域的過來人，我更期許軟體工程師能夠以市場為導向，不要技術導向，因為消費者需要才是創作源源不絕的驅動力；也只有以市場永無止境的需求為依歸，才能開創軟體未來發展無限可能的空間。

第七章

鮮活的競爭觀

——以行銷觀念經營的國家競爭力

在資源有限的情況下，

要提升競爭力，勢必有所取捨；

要求大家同時好，結果誰也好不了。

改革，必須設立遠大目標，

但階段目標卻必須小，循序漸進。

領導者可以開長期支票，

但言必信、行必果，不能開空頭支票。

在擔任總統府國策顧問與競爭力策進小組成員後，周遭開始有朋友期待，我能在這些位置上提出一些建言。

雖然，我對台灣未來的發展一直有些想法，但建言能不能發揮影響力，平心而論，我也沒有把握，因為這些工作必須靠大家一起努力。

儘管如此，我依然衷心盼望，將個人多年在企業崗位上所思所學提出來，與大家共同激盪，讓提升國家競爭力的具體方向與做法，在政府與民間形成共識，也算是略盡貢獻附加價值的責任。

▌國家競爭力的真貌

和多數人一樣，我對台灣民主化的進程，是相當樂觀其成的，但是，也由於民主政治發展，許多人站在本位立場不斷抗爭，共識無法凝聚，造成社會資源浪費，連帶削弱了台灣在國際間的競爭力。

大家都希望能保留民主政治的優點，避免因抗爭導致競爭力的耗損，因此，對於政府推動的提升國家競爭力運動，大家都很有深的期待。

毫無疑問的，建立永續的國家競爭力，正是台灣當前最重要的任務。

不過，在提升競爭力的同時，我們必須先將問題回歸原點：提升國家競爭力目的何在？

我想，不管是所得增加或效率提升，終極目標應該是要

增進全民福祉。

正由於看到這點，我將以此為依歸，希望從根本釐清一些似是而非的觀念，為提升競爭力提出一些具體可行的方案，討論的議題包括：

- 競爭力的本質是什麼？
- 什麼是提升競爭力的策略？
- 提升競爭力的根本為何？
- 如何建立有效的運作機制？
- 提升競爭力運動有什麼盲點？

期盼未來會更好

做為從事生產事業的一份子，我和多數人一樣，抱著一股對國家「未來會更好」的熱望，期盼站在自己的崗位上，為政府在尋求突破之路，盡一己之力。

雖然將提出許多問題點，但並不是丟給政府解決，而是希望呼籲各行各業同樣重視這些問題，一起配合。同時，我更懇切希望，輿論界能站在鼓勵的立場，做為政府與民間的催化劑，帶動彼此良性的互動。

我之所以願意站起來，提出這些想法，是因為本質上，企業講求永續經營，與國家追求競爭力的提升，無論就目的、理念、策略、做法上都並無二致。

本文為擴大思考角度，多著墨於與國家整體面相關的範疇，雖然對政府提供的是觀念上重新思考的建言，但是其中

的關鍵邏輯，其實也適用於企業經營的原理原則。願以此與
國人共享、共勉。

▋ 競爭力的真貌

何謂「競爭力」？我認為，競爭力與價值成正比，與成
本成反比，用數學公式來表達就是：

$$競爭力 = f（價值 / 成本）$$

以企業而言，創造價值必須考量以下幾個因素：
- 是不是目標客戶所需要的？
- 從客戶觀點來看（而不是企業自己認為），它真正的
  價值是多少？
- 市場上是否有其他更需要的價值？
- 要付出多少代價來創造這個價值？
- 價值會隨著需求改變而改變。

而投入成本時則要考量：
- 投入的成本是否值得？
- 隱藏與間接的成本（例如環境、社會與未來成本）是
  否考慮進來了？
- 有限資源（例如資金、人力、土地）的機會成本是否
  考慮進來了？
- 資源成本（例如人員薪資）提高是企業成功的代價。
- 以管理、科技與經濟規模來降低成本（而非降低人員

薪資）。

簡言之，所謂的價值與成本，是廣義的、總和的、三度空間的，也就是包含有形與無形、直接與間接、現在與未來，將這些觀念應用到國家發展，就是為了保護文化、法治、自然等大環境，而能夠創造永續經營的條件（如圖7-1），這是一種重要的價值。

為發展而破壞環境，雖然省下眼前的成本，但是增加未來的成本，減少未來的價值，或許目前看來無妨，但也埋下競爭力衰弱的種子。

因此，我們可以再用一個簡單的公式來表達競爭力：

$$C_p = \Sigma (V_i / C_i) = V_1 / C_1 + V_2 / C_2 + V_3 / C_3 + \cdots\cdots$$
$$(C_p：競爭力；V：價值；C：成本)$$

圖7-1　提升競爭力應從改變與之互動的大環境做起

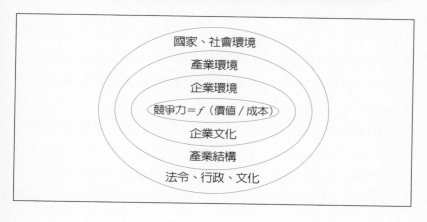

　　以國際管理學院（IMD）所使用的競爭力指標為例，行政效率或生活品質等幾十項指標，都影響競爭力高低，而國家整體競爭力就是每一項指標的加總。如果我們提升行政效率或生活品質所付出的成本愈少，產生的效益愈高，競爭力就愈強。

■ 以總和概念配置資源

　　這就如同參加大專聯考。聯考有國文、數學、英文等各科目，能不能金榜題名是看總分。經歷過聯考的人都明白這樣的策略：倘若我的數學天賦有限，十分努力只能提高兩分，但同等努力用於國文卻能提高十分，那麼我只要要求數學能得到適當的成績，把時間與精力合理配置在其他科目，便可得更高的分數。

　　同樣道理，台灣不生產石油，根本不可能在「天然資源」項目名列前茅，那便只求不要墊底即可，而把成本放在可創造更高價值的地方。因為，創造的價值和投入的成本，會因環境與天生條件的限制而產生差異。如果對國家競爭力沒有總和的概念，策略思考便會陷於旁枝末節，而缺乏整體考量。

　　由此可以得知，要有效提升國家競爭力，必須有合理的規劃。

　　首先，以分項方式而言，每個人的定義可能各有不同，就如同參加特考或聯考是不同的評估方式，必須先確立整體

的發展方向，訂出適切的項目。

　　第二，每個項目都要分解思考，並不見得價值高的項目就投資，例如，有的項目產生的價值是十，成本是八；有的項目價值是五，成本是二，後者的「價值／成本比」顯然優於前者。

　　第三，每個項目的重要性也會因權數不同而有所差異，例如，幾個權數大的項目，就會影響整個競爭力的強弱，或者有些項目具有帶動其他項目的效果，這就如同參加十項運動，體能訓練攸關所有項目的表現，權數自然也比較大。

▉ 發展高附加價值產業

　　從競爭力公式中，可以得出幾個原則：

　　其一，「價值／成本比」較大的項目，正是這個國家的比較利益與競爭力所在，就必須保持優勢。但「價值／成本比」可能會隨著時間推移而有所改變，因此更需留意評估邊際效益與投資報酬率。例如，有些過往的優勢產業若要繼續加強，改善空間有限，邊際效益遞減，但消耗資源日益增加，就必須考慮值不值得增加投資。

　　其二，從「價值／成本比」來考量，要解決高成本問題的唯一途經就是提高價值。例如，台灣人力與土地成本較高，就不得不發展高附加價值的產業。

　　此外，有的項目因為過去能力不足或不重視，遲遲無法提高價值，但如果仍有大幅提高價值的空間，就必須有長期

計畫來提升。例如，台灣已經著手的品質、設計、形象、技術等方面，或是還在起步階段的國際化與行銷，提升價值的空間仍有許多。也就是說，只要空間大、困難度大但可行性高的工作，就值得長期努力。

簡而言之，在國家資源有限，而整個國際趨勢已朝向分工整合發展，一個國家不可能什麼都做，必須有策略的整合國際資源以增加價值，有策略的捨棄「價值／成本比」不高的部分，才能騰出力量專心經營好自己專長的部分，資源逐漸累積，才能愈做愈多。

於是，另一個關鍵於焉而生：如何才是有策略？

▦ 有所取捨才是策略

目前，大家都流行將「策略」掛在嘴邊，大多數的決策者也都認為自己是有策略的。

但，所謂的「策略」究竟是什麼？我認為，擬定策略有幾個要素：第一，要有遠景、有目標；第二，要了解客觀大環境之趨勢；第三，要知己知彼，也就是了解自我條件及競爭對手。

而擬定策略的目的，是在有限資源及客觀時空環境之下，為了達到目標，在多種方案中選擇最有效的方式；換言之，策略必定是有所取捨的，並不是把每個人的想法一一條列、照單全做就叫作策略。

因此，策略有幾個特質：設定優先等級，環環相扣、

循序漸進，然後集中力量，以一個成功的經驗模式來帶動信心，促成下一個成功，我將之稱為「以成養成」。

由於沒有人可以預先對一個策略的成功打包票，因此為了增加成功機率，便必須在過程中培養有形與無形的資源，不管是信心、成員的支持度、人力、物力，以期能突破下一個更大的瓶頸，達到最終目的。

▓ 從弱勢處思考

所以，擬定有效策略有幾項考量因素，它們共同的特色是 —— 以自己弱勢之處為思考出發點：

第一，考慮資源的限制，也就是如何才能少用資源。

第二，思考自我的弱點，期使自己在競爭環境中存活。例如盡量少暴露自己的弱點，如果不得不使弱點外顯，就利用和他人聯手來增強自己的實力。

第三，要重點突破。

所謂重點，不一定是最困難之處，它可能是關鍵，若不將之突破往後將事倍功半；或是關聯性大的地方，突破之後其他關卡將迎刃而解的；或在千頭萬緒中切入一個容易顯現成果之處；或者它並不見得是最難或最大的事，但卻是眾所期待，可以帶動信心最多的工作。

此外，策略不是長期的，而是階段性的，所以必須求其短期有成，在累積許多策略之後，終而達到共同的遠景；換言之，策略有個最重要的特質，它是抓著遠景不放的，它有

許多戰術，最終是達到遠景。

正如同要攻占一個城市，可能用迂迴戰術，或者以鄉村包圍城市，目標都是要把那座城市占下來。

■ 運用最少資源，達到最大效果

從以上觀點來檢視「亞太營運中心計畫」，它是否有完整的策略思考？我相信，沒有人反對發展六個中心，但是，六大中心不分先後、一網打盡，在資源有限的情況下，台灣是否具備樣樣都做的能力？顯然沒有，那麼，何不專注於成為其中一個中心？

這並非意謂媒體中心比金融中心重要，或運轉中心比電信中心重要，這些都很重要，但我們必須思考，什麼是運用資源最少而能達到最大效果的選擇？

答案，顯然是亞太研展製造中心，因為它已經成形，是台灣在國際上最鮮明的標誌，而且關聯性最大，可以同時帶動金融、通信、轉運、媒體等中心。

策略的本質，就是如此，應該全力攻下一個灘頭堡，建立信心、形象與成功模式，才能繼續開疆拓土。

坦白說，類似這種「樣樣囊括」的決策在台灣可謂俯拾皆是，提升國家競爭力運動亦復如此。政府從競爭力評估指標中挑出四十多項，分發各單位「認養配額」，沒有輕重緩急，也沒有階段目標。

策略之所以重要，是因為我們畢竟有些條件沒法和別人

比，所以非有所選擇不可。好比我的身高不夠，又想在運動方面出人頭地，就不要強求成為籃球隊的中鋒。這就是策略。

以亞太營運中心為例，那麼多個中心分配到各部會，雖然有專責機構在協調，但畢竟缺乏優先等級，沒有重點，各部會便容易流於各自為政。

有一次，我參加政府的專案會議，會議中產生兩個執行方案，一個是由一個專責部會統籌，一個是由數個部會分工，結果，一如過去模式是選擇後者，因為要讓大家都有事做，但導致的結果是整合困難，一旦失敗大家都沒有責任。

這是典型傳統階級組織的思考方式，而這種組織或思維如今已經印證是效率較差。

▌透過溝通達成共識

探究這種決策的背景，我認為，源自於官場長久以來的習慣，例如大家一樣重要，統統有獎，不得罪任何人。

這原則並沒有錯，但如果深入思考我們的目的，究竟是要提升競爭力，還是照顧各部會立場？答案無庸辯論，因此就必須有所取捨，大家輪流好而不是同時好，因為資源就那麼多，要求大家同時好也意謂著大家都不好，一事無成。

如果，最終的目的是大家統統好，就要集中力量，大家互相協助。當然，要達到這個目的，必須事前溝通達到共識，很重要的是，成員觀念必須有所轉換。

也許有人認為，在多元化社會裡，大家都很重要，也都

需要照顧，因此總是喜歡標榜「全方位」。事實上，集中力量、發展一元，正是為了要達到多元的結果。

從企業經營的角度來看，即使再好的商機，也不可能一下子同時跨入好幾個不同領域。

假設今天企業轉投資一個企業，三個人有機會去主掌，未獲選的兩個人反彈牽制，事情的確很難推動，但若能透過溝通，讓大家知道將來還有其他機會，而且因為新事業發展起來使公司資源更多，將來的機會可能比第一個更好，其他成員才會願意同心襄助新事業，並耐心等待。

事實上，這個道理大家都了解，問題是要如何建立這樣的信心，這需要領導者的信用背書，而且過去和未來都必須有良好兌現的紀錄。

今天大家不願意幫別人抬轎，很大原因就是過去政府背書信用不佳，但並不意謂這個方法行不通，現在我們從頭來過，就不能再重蹈覆轍，更要慎開支票，然後全力兌現，逐步累積信用。

▋ 降低期望重拾信心的策略

策略是涵蓋極廣的，不開支票也是一種策略。有一次我在行政院開會時就曾如此建議，推動政策之前先不做任何宣示，暗地裡準備周全，用實際成績讓民眾忽然間眼睛一亮。

因為，如果事先愈嚷嚷，大家的期待就愈高。坦白說，民眾對政府並沒什麼太大的期待，短期內再壓低大家的期

待，其實也沒什麼大礙。

　　但現在政府的做法恰好相反，因為民眾信心低，所以多開幾張大支票來提高大家的信心，結果當寄望落空時，反而對民眾的信心造成更大打擊。如此，還不如短期間先降低大家的預期，當一個個成績出現，大家慢慢又會重拾對政府的信心。

　　要提升整體國力，當務之急是擬定有重點、優先順序、時程、里程碑的發展策略。於是，從關聯性與「價值／成本比」的角度來看，當我們思考如何提升國家競爭力時，就必須探究在諸多競爭力指標當中，什麼因素會影響到每一項的排名？

　　就如同體能訓練之於十項全能運動，項項皆有所助益，很明顯的，行政效率攸關各項競爭力的強弱；而行政效率的高低，則導因於法令架構的良窳。也就是說，法令架構往下影響行政效率，然後才造成競爭力的強弱。

　　然而，在法令架構之上，還有一個最高位階的關鍵因素，也就是國家的價值觀，它就像企業的經營理念，是整體國家建設方向的「龍頭」。

　　那麼，什麼是台灣的經營理念？

■ 人盡其才

　　如何提升台灣競爭力？說穿了只有一個字：人，也就是讓人才發揮潛能，這才是真正提升競爭力的關鍵策略。原因

何在？首先，台灣其他競爭力的條件，無論是土地或天然資源，都相對處於弱勢；其次，它的關聯性大，如果集中於此一目標，其他環節就必須配合，連帶發展起來。

台灣具備相當程度的人才條件優勢：教育普及、工程人才比例高、創業與創新精神、中小企業的彈性靈活等等，全盤來說，台灣高素質人力的成本是比較低的，但問題是，整個環境是「人性本惡」的。

於是，法令防弊重於興利，組織架構層層疊疊、互相牽制，人的潛能無法充分發揮，整體能力也因此大打折扣。

如何讓人盡其才？

關鍵在於運作機制，包含有形與無形的機制，影響機制運作有效性的即是法制和組織，而引領法制與組織的經營理念（或價值觀），就是關鍵中的關鍵。

■ 改善價值觀

行政院經濟建設委員會有一個提升競爭力的架構，以十二項建設、行政革新等運動架構出亞太營運中心、自由化、國際化等目標。但是我認為，這個架構缺了一個核心的經營理念，因為這個因素深深影響所有競爭力指標的「價值／成本比」，如果這項關鍵沒解決，便會事倍功半。

舉例來說，為何今天在台灣追求名利會變得如此辛苦、勉強？按情理說，追求名利應該是社會發展進步的動力，立法委員出來競選為民服務得到名譽，國家給予報償，只要是

合法透明，應該是合理的，為什麼今天會變成人人見疑？

有一回，曾任立委的行政院院長蕭萬長談起擔任立委的箇中辛苦，他認為，由於目前的選舉文化，怎樣的選民選出怎樣的立委，才產生這般的國會；即使有少數立委有心改變，但為求下回當選，也不得不融入其中。

我不禁要問，為什麼立委會當得這麼辛苦？這麼做能得到什麼？人生價值在哪裡？

本來，立委為民服務，應該是有影響力、在名在利都是社會的上上之人才對，社會也應該要認同能得到大眾支持的人，應該有其地位才對，但現在卻造成民眾怨聲四起；而有些立委表面光鮮，其實債台高築，甚至不得不走旁門左道，用特權搞錢，造成惡性循環。這個社會，為什麼會讓立委變成這個模樣？

再進一步說，「政府再造」的口號已經喊得那麼久了，但有多少民眾感覺到政府正在改造？

這兩件事情，看似關聯不大，其實源頭相同。

何謂再造？我認為，從既有模式改良，頂多能提升一到三成，但如果從機制（法令和組織）調整，則會有五成到一倍的效果；假如能改善價值觀，那將會是倍數以上的成長。如此，值不值得努力塑造價值觀？

▌由上而下推動

然而，法令和組織的翻修，的確是比較繁複的工作，文

化層面的塑造，更是一條長期而動員層面極廣的路，但這的確是根本大計。

如果這兩項工作不進行，光在瑣瑣碎碎的事情投入人力，「價值／成本比」不高，公務人員做起來成就感不高，累得半死，反而抱怨更多。

今天競爭力低、行政革新成效不彰，我認為並不是公務員不努力，事實上，能考上高考的人都相當優秀，是價值觀、法令與組織出現問題，才產生目前的狀況。

社會價值觀的形成是有其道理的，那是因為人們舉目四望，到處充斥著這樣的示範。就如同不同公司就會有不同風格，乃是一群人經過長時間形成的文化價值。

如果一個組織能形成有效率提升整體福利的共同價值，大家都貢獻給這個環境，每個人付出一份力量，可以享受的回饋會超過付出；但如果每個人倒一份垃圾，總共一百個人，每個人感受到垃圾的壓力是一百而不是一。這就是群體。

▓ 從龍頭著手

價值觀的改造，必須二、三十年的努力，但是「龍頭」價值觀可能只需要五到十年，而要建立價值觀唯一的途徑就是溝通，由上而下形成共識。

因為在媒體上大量曝光的，是政府領導人、政務官和企業家以及社會領袖，他們的價值觀會起帶頭作用，如果這些人能夠一起來溝通，大家一起來做，十年之後新價值觀便自

然而然形成。

　　也就是說，我們要營造的不僅是好天氣，而是好的氣候，前者就如同雷厲風行推行某些運動，可能有一段時間的風和日麗，但若大環境依舊，仍不免變天，而好的氣候卻是可讓世世代代安居樂業的環境。

　　回歸到提升競爭力的終極目標 —— 增進全民福祉，這樣的環境，不就是我們所企盼「永續的競爭力」嗎？

光明磊落追求名利

　　現在，台灣要塑造一種什麼價值觀？我想，至少要做到「追求名利光明磊落」。

　　從現實面來說，一個社會完全沒有功利，顯然是不可能的事，但必須有個機制來支持這個價值觀，讓利益分配適當的照顧社會公益。例如公平的稅制、良好的社會福利，以及能有效率執行的政府預算（也就是錢都花在刀口上），簡言之，要達到「即使我先天條件不如人，也能樂觀他人成就，因為我已經被照顧到了」。

　　為什麼今天民間會有反商情結？就是因為利益與共的機制規劃不夠。

　　眾所周知，經濟發展是政府經濟建設與社會福利的來源，但因為黑道、股市內線交易、官商勾結，使得經濟發展的利益落入少數人的私囊，這個情況才是讓民間怨聲載道，而政府很難做事的源頭。

　　如果大家都在公平的基礎上，有人多努力或機會好些，所以獲利有高有低，大家也就認了，但今天的情況顯然並非利益與共，所以那麼多人選擇移民。

　　政府和民間經濟力量要有效聯絡，首先，要建立一個確確實實讓多數人能夠享受到經濟發展利益的結構，沒有逃稅、沒有特權，也不會破壞環境，全面性的利益與共才叫作利益共同體。

■ 利益與共的希望工程

　　凝聚利益與共的關係，是台灣的希望工程。台灣現在有許多力量都在彼此對立間產生內耗：環保與經濟發展、勞方與資方、成本與價值，乃至於朝野政黨，看起來都像是對立關係。事實上，如果深入思考，兩者其實是利益與共的。

　　以環保和經濟發展而言，企業存在的目的在於永續經營，如果環境遭到破壞，還談什麼永續？因此從某些角度來看，企業根本不必談環境保護，因為本來就不應該破壞環境，為什麼要先破壞再來保護？因此企業投資環保，其實是在創造永續經營的條件，兩者目標並無二致。

　　同樣的，老闆和員工的利益所在都繫於公司成長，如果把應該是雙贏的夥伴當作對立的角色，一切都無解了。

　　正如同企業要發展，就得不斷增強自身競爭力，而成本提高了，便促使企業往高價值的方向發展，對經濟發展產生正面效益。如果老闆把成本提高當作競爭力的阻礙，那一切

也無解。

　　也就是說，當我們用利益與共的觀點，把長期的、無形的、間接的因素全盤思考透徹，溝通形成共識，所謂「發展的迷思」就不再是迷思。

■ 化對立為互信和諧

　　舉例來說，經濟發展的目的是促進生活品質，環保的目的也是為了生活品質，而所得提高亦能改善生活品質，因此，在發展經濟的過程中，人力資源或環保發生的成本，都是規劃要發展何種經濟、創造哪些價值所必須考慮的。

　　如此，高附加價值、兼顧環境保護的產業，就會得到許多助力，而這樣的發展不僅不會戕傷台灣的競爭力，還會鍛鍊出更好的體魄。

　　例如，在開發土地時，因為多留些保育區使成本提高，但也因為環境品質改善合理反映到地價，投資仍然有利；更重要的是，這會激發廠商生產力的潛能，產品更具有全球的競爭實力。

　　政黨關係，亦復如此。許多反對黨立委，在過去幾十年，為台灣民主付出青春，甚至坐牢，諸多的犧牲奮鬥，如果不能在現在與未來塑造價值，把體制建立起來，過去的努力不是白費了？對執政黨而言，能將國家發展起來，當然也是贏家。把眼光放遠，政治人物要在歷史留名，憑藉的是彼此抵制、事事無成，還是共享建立體制的成果？

　　我始終認為，許多事必須想通，才會有解。

　　規劃利益共同體的組織，「想法要高，落實在小」——原則是大而高遠的，但是落實在細微的組織運作當中。

　　例如，員工入股的目標是要建立勞資互利，就像《憲法》規定大原則，但還要訂定詳細的施行細則，把大家利益與共的互動關係規劃起來。但非常重要的是，在此之前，總要有一些追求與認同的價值說服自己貫徹執行，不要光只在枝枝節節地方打轉。

　　很明顯的，目前台灣許多難解之結都因缺乏互信所致。例如環保運動，其中固然有所謂的環保流氓，但也有許多是非常有理想、為保護美麗家園而努力的人，但如今環保卻和發展成了互相對立的狀況。

　　另外，勞資之間原本是共榮共存的雙贏關係，現在卻成了投資環境不好、彼此相互指責為罪魁禍首，為什麼？因為在大家心裡，人性都是惡的，互相信任不夠，就很難在理性基礎上解決問題。

　　因此，從積極面來看，我們不僅要塑造一個「追求名利光明磊落」的環境，更進一步，還要將「人性本善」的理念，深植在這片土地上，重新建立人際互信。

▋以性善理念貫徹施政

　　有一回，在教育改革委員會開會時，我發言提及「人性本善」理念，中研院李遠哲院長認為，應該是「人性本空」

才對。

　　事實上，我並不反對此一說法，但如果換個角度來想，要讓大環境有效運作，改變目前防弊重於興利的法令架構，究竟應該把人性往「善」的方向、還是往「惡」的方向塑造？很清楚的，我們非得往善的方向去塑造，如此人性本來是善、是惡或是空，就不是問題的重點。

　　不難觀察到，諸多由於以人性本惡來思考，致使國家發展走進負面循環的例證。舉例來說，地方自治是《憲法》既定方向，但為什麼台灣不能徹底落實？有人認為，因為地方人才難留、素質不高，但我認為這些是結果而不是起因。

　　真正的源頭是因為沒有用「人性本善」來思考，給予地方人才的空間與舞台太小，嶄露頭角的機會少，所以人才難留。如果中央願意享受大權旁落，落實分散式管理，地方人才自然有機會歷練成大器。

■ 組織扁平化，塑造勇於擔當的風氣

　　我心目中理想的組織型態，是扁平的組織，而不是尖而高聳的金字塔組織。在扁平式組織中，真正運作的是中層與基層人員，由於教育普及，具備獨立運作能力的人比比皆是，沒有道理不讓這樣的優勢充分發揮。這種組織好處在於底盤較大、架構較穩，而且從上到下層級少、決策流程短、效率高，但構築這種組織的先決條件就是授權。

　　要塑造授權環境，政策、理念、制度都要往人性本善

的方向設計，例如減少不必要的蓋章流程，塑造敢擔當、負責任的風氣。當然，獎懲分明也是必要的，法治的基礎本來是紀律。鼓勵多數人從善，對妨礙到多數人福利者則予以懲戒，這才是社會基本機能。

二十二年前，宏碁以「人性本善」做為企業文化，就是希望給同仁空間，讓大家發揮潛能，創造有效的經營環境，因為我們的目標是「以客為尊」，提供消費者最好的產品與服務。

要達到這個目標，同仁會做到兩點：第一，「貢獻智慧」、第二，「平實務本」，前者是為了創造價值與降低成本，後者則是控制成本與專注發展實惠價值（產品、服務）（如圖7-2），競爭力也就由此而生。我想，無論政府或企業，追求貢獻與提升競爭力的目標應該並無二致。

▌ 放棄眼前權力可帶來更大權力

那麼，為什麼政府施政不能秉持性善原則？為什麼法令不能鬆綁？為什麼不能授權？這許多為什麼，都因為做決策者沒有想通，放棄眼前權力，其實會帶給自己更大權力。當政府放鬆制度之後，會有更大權責來維護最精簡、最關鍵的制度。

舉例而言，當政府貫徹性善理念時，便可以集中力量制裁為惡者。中國人談中庸，外國人談平衡，都顯示我們不該一天到晚陷於極端的狀況當中。想想看，當民眾不給政府

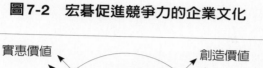

圖7-2　宏碁促進競爭力的企業文化

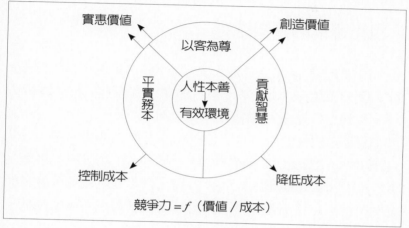

施政空間、政府不給企業發展空間，這個國家豈不是動彈不得？為什麼不給彼此空間？當然，這樣的改變並非一蹴可幾，但總得有個起點。

我始終覺得，只要能讓人才發揮潛能，要提升競爭力，大概也就八、九不離十。就如同一個人練武，如果什麼門派都練，到頭來招式必然破綻百出；但如果專心練一套招數，練到出招隨心所欲時，弱點就相當有限。

策略往往如此，先專注突破一點，慢慢展開，最後各方面幾乎都能夠照顧考慮得到，因為它有系統，有效性會比較高，而且目標簡單清楚，容易溝通，形成共識。

除了經營理念之外，我們也需要有個共同願景，就是國

家要往哪個方向發展。

▓ 目光遠大的共同遠景

　　馬來西亞有個「宏願2020」(vision 2020)，從字面上看，是該國西元2020年目標，事實上還隱含左右眼視力2.0，也就是目光遠大的意義。

　　國家必須往前看，因為目標和遠景都在前方。過去成功的因素，不管是成本或時空條件，都已經不同，所以必須重新定位。過去是規劃未來的參考和比較基礎，例如，過去的成本和往後有什麼差異？憑藉這項比較，得出將來要創造什麼新價值，但過去並不是最重要的，重要的是未來。

　　1989年，我在總統府演講時曾經建議，台灣應該建設成科技島，近年來修正為人文科技島。但我想，不管是不是人文科技島，台灣都需要有目標與藍圖，如此我們才能思考，需要以什麼樣法令架構來達到最終目標。

　　要建立一套整體的法令架構，牽涉層面非常廣，不僅要修正不合時宜的舊法令，更重要的是建立前瞻性的法令架構；也就是說，要結合我們的遠景和經營理念，規劃有未來性、能發揮新生產力的法令架構。

　　這樣產生的法規，不但適用性強，壽命也會比較長。當然，隨著社會進步，仍會需要不斷追加或修訂新法令，但有前瞻性的規劃，總是強過目前法令落於成長之後的狀況。

　　例如，台灣的農地政策，過去是為了國防因素及食糧

自給自足的目的所制定，到今天目的已經有所不同。放眼未來，台灣既要有競爭力，又要有寬敞、自然而價格合理的居住及生產空間，因此，必須清楚規劃土地有多少用於農業生產、多少用在工業生產、多少供人居住活動，讓有限土地多從事附加價值高、資源用得少的產業。

　　也就是說，我們需要一套新的政策，同時達到創造土地較高生產力，與抑制地價飆漲的目的。

▌創造台灣價值與經濟規模

　　再如台灣產業政策，必須修正過去「有形重於無形，國內重於國外」的思維。

　　「有形重於無形」的典型例子，就是軟體廠商至今仍不能進入工業區。

　　記得有一回，一位政策官員到科學園區巡視，廠商向他談到智慧財產權的問題，這位官員的反應是：「只要我們不仿冒人家，怎麼會有智慧財產權的問題？」

　　相信許多人都了解，並非不仿冒就不會侵犯他人的智慧財產權，然而非常遺憾，部分決策者觀念還是停留在過去有形資源當道的時代，但產業定義早已和往日大不相同。我們必須往前看，規劃未來，否則怎麼追都追不上時代的潮流。

　　再談「國內重於國外」。過去，政府以保護政策扶植國內廠商，但時至今日，很明顯，光靠內銷市場已不能造就台灣持續繁榮，也就無法提升大眾生活品質。要讓台灣更進一

步發展，就必須建構有利企業國際化的環境，藉著和世界互通有無，創造台灣的價值與經濟規模，才能進一步增進人民福祉。

▌ 放眼未來，漸進轉型

我們必須先有「放眼未來」的共識，才能進一步探詢哪些法令攸關未來發展，由行政院和立法院共同努力，突破目前發展瓶頸。

舉例來說，眾所周知，台灣資源有限，不管是水、電、土地或人才，當然要使資源做最有效的利用。我常想，如果寶貴資源不是用來生產最高價值的產品，那還不如進口，將資源移往最具效益的地方。

當然，轉型勢必需要時間，但不管十年、二十年，總要朝此方向邁進，而且除了有明確規劃之外，還必須有一套輔導措施。

目前台灣的水電問題已經迫在眉睫，從長期發展角度來看，一個產業要用多少水和電、創造多少價值，將成本和價值一計算，就知道值不值得從事這個行業。

例如，耕種農作物所產生的價值，有沒有高過所消耗的水價值？如果沒有，是不是還要繼續從事？是否應給予適度限量？今天也許無法驟然改變，但若十年後還說沒辦法，那就實在說不過去了。

也許有人站在照顧農民的立場，擔心造成社會問題，但

若從有效運用資源來看已別無選擇的話，我們要做的是去思考如何解決社會問題，而不是看到問題便躊躇不前。

可否換個方式思考，將農田廢耕釋出的土地與水用於其他產業，而由該產業廠商補貼農民地價與水費，政府再輔以轉業訓練，是不是可行？會不會比年年為資源不足傷神更有建設性？

其實，解決問題的策略有很多，關鍵只在於願不願意一步一步的做，但如果目標已有共識卻不著手進行，總有一天會後悔。

▍權力下放，提升效率

整體來說，要提升競爭力，核心策略在於讓人才發揮潛能，首先要以「人性本善」來塑造互信和諧的環境；其次要創造有效的運作機制，包括兩件事情：第一，立即修改不合時宜的法令，並使其具備前瞻性架構；第二，必須有個不斷自我革新與學習的組織，要達到此一目的，必須從推動行政革新與政府再造下手。

關於提升政府效能的議題，經常聽到這種論點：「全世界的政府都沒有效率，所以我們政府效率不彰是合理的。」但反過來想，為什麼我們不能發展成當中最有效能的政府？為什麼不能做個示範？既然新加坡政府可以變成城市國家的典範，台灣也應該有機會變成中型國家的表率，為什麼要給自己不進步的藉口？

釐清這樣似是而非的觀點之後，我們如何將改造的任務一層層往下落實。檢視過去政府所推動的眾多運動，往往目標並沒有錯，但因為沒有找到方法，便輕率放棄原先目標。從另一個角度來看，必須透過不斷嘗試與修正，累積經驗才能找到最適當的方法，這就需要時間。

然而，要將行政體系導入良性循環，總要有個開端，首先，要下非做不可的決心，並透過宣導、全面溝通，讓大家都能切身感受到，環境已經不同，如果不革新便沒有未來，甚或將貽害後代。

任何改革，如果成員仍存著可做可不做、得過且過的心態，是不可能有推動力的。

▓ 目標要大，動作要少

其次，改革設定目標要遠大，但階段達成目標要訂得小、動作要少，更重要的是要循序漸進。為什麼過去改革多半效益不彰？因為大家喜歡將目標訂得很大，沒有說明漸進的階段可行目標，阻力當然也會很大。

例如，外界看國民黨改造，大多覺得合理，但基層黨工卻相當反彈，為什麼？如果易地而處，當我們想到將驟然失去賴以維生的工作，不反彈又該如何是好？

儘管明白組織不改革會存在很多不合理現象，但和自己活不下去這個因素相比，當然是我活不下去最不合理。組織領導人必須認同這樣的想法，幫忙解決，因為這些不合理是

組織過去造成的。

如果把改革目標設定在長期，分階段小幅調整，有緩衝調整時間，大家所受的衝擊減少、分散，就比較不會群起抗爭或反對。

光宣示改革當然是不夠的，因為多數人會心存觀望，然而總會有人先去嘗試，有的成功、有的失敗，於是，在宣示改革同時必須制定一套獎勵辦法，讓辛苦有成者獲得鼓勵，也讓觀望者明白：這回是來真的。貫徹授權的同時，也將責任制建立起來，讓各單位在大策略下獨立運作，形成內部競爭，整個體系才能動起來。

我曾經提議，應該讓學校校長有更多自主權，如果政府願意給校長發揮的空間，有人可能只會聽聽，但也有人會試試，然後慢慢動起來，很快的，創意和活力就出現了。大家互相學習，經驗互相激盪，然後就會發現，真的是條條大路通羅馬，教育改革理念就可逐步實現。

但如果只停留在口號，不給執行者舞台，是絕不可能有進一步進展的。

創造公平競爭的大環境

以政府工程招標或採購為例，因為一心只為防弊，承辦人員當然寧可採取低價決標，才不會落得圖利他人的口實。因此，許多正規經營廠商不願意做政府的生意，低價決標對企業而言並沒好處，整個環境並不是公平競爭。

雖然我們有《公平交易法》，但政府自身卻沒有創造公平競爭的大環境。於是，投標、流標、工程進度落後、偷工減料、追加預算，形成負面循環。

過去曾有人主張採用合理標改善工程品質，但卻因為太多非專業者也參與決策，是好是壞大家都沒有責任，結果一點也沒改善，因為根本沒有建立起自己單位採購品質的共識，大家都只想兩件事：第一避免責任，第二把錢花掉。

這些老毛病大家都知道，但是否曾有官員認真探究，為什麼民間企業不是這樣？因為民間企業有採購策略和準則。

假設我開航空公司，為了分散貨源，我不會只向一家公司採購飛機，但為了維修方便，引擎等重要零組件採取共用規格的做法，我也會授權最專業的人，確保供貨商的價格與品質。然而，政府是否曾經為了解決多年積弊，發展出有效的採購策略？

▌突破窠臼，創新做法

除此之外，各單位能不能突破窠臼，自己發展出突破的做法？

例如，採購人員可以找包括主計人員在內的許多人，共同腦力激盪，找出交貨最準時、品質最好，而且公開、不違法的方案；接下來便找主管溝通，得到他們支持與認同，主管如果不能作主，再找主管的上級，因為上級主管的權限畢竟大些，只要沒有弊端、無私，就可能突破。

先從小組做起，用性善理念和所有投標廠商溝通清楚，只要不低價搶標再偷工減料，必定保障廠商合理利潤。如果努力至此仍出了差錯，必須負行政責任，那也只好認了，但我相信，嘗試過程中一定會得到許多支持。

對內授權，對外便民

很重要的原則是，組織要改善，權力要下放，但責任要往上集中在少數人身上，否則就會造成一個結果：人人有責任，也就人人沒責任；一旦出差錯，大家都不對，大家都反彈。現在的情況就是典型的負面例子，發生弊案時，責任都是下面公務員，上面官員反而什麼責任都沒有，如此誰還有意願改善？

建立人性本善的理念，政府對內要授權，對外則要便民，其中有兩項工作最為關鍵：一是興利，二是簡化流程。

以簡化流程為例，對每個程序都要思考：如果從頭來可不可以不做？能不能合併？認為必要的程序還要反覆再問：為什麼要做？理由當然不能只是因為自己高興，必須有評估方式，這就回歸到「價值／成本」公式。

也就是說，如果一道關卡的成本是十，但價值只有二（直接間接、有形無形、現在未來都要考慮進去），就不值得去做。

另一方面，因為每個人對總體成本與價值的認定都不相同，做決策時，就必須所有有附加價值貢獻的人一起溝通，

重要的是，如果最高決策者有總體觀念，並以此觀念先建構大方向，執行者在進行自己職權範圍內的決策時，也就比較會用整合的觀點。

當大家都能認知到自己是整體的一部分，在一起決策時，能以一己專業貢獻各自的附加價值；折衝之後，因為大家的立場都被考慮到了，雖然最後結果可能有別於自己原先的方案，但卻可以接受並支持整合過的結果，這就是民主可貴之處。

目前政府無法有效簡化流程，原因之一是部分人不願放棄既得利益，因為多幾道手續才能讓自己多擁有權力，其實這也是沒有想通。

大家不妨想想，也許手上抓著人事權，可以安插人，但是人情擺不平，煩惱一大堆，抓這個權能得到多少正規的名利好處？扣掉造成怨聲載道的負面效果，實質利益有多大？這種權力的本質是什麼？如果放棄擁抱這個自以為是的權力，換來輕鬆愉快、民眾滿意度及自己的成就感，不也是另一種型態的權力？

我從不在公司安插人，不但得到不任用私人的名聲，精神愉快，又用到最適當的人才為公司效力，公司發展順利，利益更大，如果抓住人事權，我就享受不到這些。

■ 目標遠大，循序漸進

推動行政革新有兩重意義，從人性本善的角度來看，政

府要做到便民；從政府的資源來說，則要讓有限資源充分發揮效益。

因此，政府組織層級與行政手續都必須大幅減少，以我的看法，大約要做到蓋章減少三分之二、人員減少一半，但同時薪水也增加50％。如此一來，公務員有好環境、有尊嚴，並可將精簡人力集中在重點業務，政府不再充斥冗員，大眾也不用苦於蓋章關卡重重。

也許有人認為，光是公營事業移轉民營已經引起街頭抗爭，要減少一半公務員，談何容易？

我認為，敉平抗爭之道在於漸進，也就是前面提到的原則：目標要遠、階段達成指標要小、動作要少、循序漸進。

精簡人力，投資未來

舉例而言，政府可以將人員減半的目標，設定在二十年間逐步達成。對多數公務員而言，二十年距離還遠，不會立即危及生計，但整個改革列車已經開步往目標行進。而領導人得有心理準備，如果一切順利，要盡可能在十年內達成。

要精簡人力，可以先從不增員、遇缺不補做起，例如，因新業務所需成立新單位，不要另外找人，從應該功成身退的單位抽出部分人力，透過訓練，調往新單位。

任何組織要能生生不息，其實就是要投資未來。舉例而言，當一個老舊組織事情愈來愈少，就要未雨綢繆抽出部分人力開發新事業，即使失敗也沒關係，因為這群人已經為將

來學到一些經驗。

　　但現在政府組織並不是這樣，要發展新事業就增加一批人，舊單位又不能刪減，整個組織包袱只會更重，雖然有新投資卻被舊包袱拖垮，這絕不是有策略的行政革新。

　　除了人力結構調整之外，還要訂定精簡人員的階段性目標，例如，第一階段簡化手續、章少蓋一些，人力於是就騰出來了，可以做便民服務，或輔導到民間就業，當這部分人發現民間工作比當公務員好，政府便有充分理由說服大家，一步步持續推動精簡改革。

　　政府可將十年後因精簡人力所節省下來的薪資預算，提前用來輔導轉業。我相信，只需其中一、兩成，就足以提供相當的誘因讓公務員樂於轉業民間。

▌以多數人利益為依歸

　　平心而論，類似的概念說起來不難，但往往做起來就變得困難，因為沒有共同利益，只要有人問：誰在組織調整過程中被犧牲了？這馬上變成嚴重的政治問題。因此，組織變革的規劃，必須以多數人的利益為計畫依歸，少數人的損失則用其他利益來交換，才能達到照顧大家的目的。

　　公務員因為擔心失去保障而人心惶惶，是合理的現象，這不但要靠溝通來建立共識，更需建立一套方法，讓離開政府單位的人不覺得自己被犧牲，他們的利益也照顧到了。

　　也就是說，當政府要精簡人力，是以增進多數人的福利

為方向，對少數公務員則投資一些資源，提供生涯轉型的機會，整個組織才能活絡起來。

對多數年輕人來說，大家都渴望學習，那麼，為什麼不提供成長的機會和管道，創造政府與公務員更高的價值？

很明顯，台灣人力極其有限，特別是要將台灣建設成人文科技島，事情多得做不完，需要很多好的人才貢獻智慧，怎麼還擔心失業？

▋優勝劣敗，長程規劃

當然，在自由經濟體制之下，是會有優勝劣敗的淘汰，但如果把眼光放遠，方向清楚，透過長程規劃，有步驟的前進，才可能有皆大歡喜的一日。

難免有人會擔心，十年之間，也許主事者早已不在其位，萬一人去政息，豈不是功虧一簣？我想，如果事前做好溝通，使這個觀念變成全民共同的想法，在民主政治之下，繼位者不能不依照多數人民的意志去推動。

關鍵問題是，對中國人來說，一般並沒有先溝通、建立共識的習慣。

其實，身為企業領導人的我也曾發生類似問題，但因為我對這個做法有清楚的認同，如果發現溝通不夠，會在事後趕快補救。

但如果政府決策者沒有這種信念，自覺已經有策略，也做了溝通，雖然好像不太夠，但因為有現成的橡皮圖章幫

忙背書，便疏於加強溝通（人性往往如此，寧願選容易走的
路、求速成，而忽略本質問題），一廂情願的推動，這是會
有問題的。

在改革過程中，任何遠景與目標都需要有共識，在這個
大原則之下，每個決策都是參與者共同決定，大家都可以提
議改造計畫應包含哪些工作、應該如何做，正反兩面意見都
充分討論，選擇策略，然後就是嘗試與修正。大家說一樣的
話，共同承擔與克服困難。

▍精簡層級，有效運作

除了人數減少之外，整個組織還要進行結構的精簡，重
新檢討有哪些政府層級可以合併，因為，組織規模愈大、層
級愈多，就愈難有效運作。

以宏碁而言，我們曾經因為成長所需，總部功能日益
繁複，組織也愈變愈大，管銷費用愈來愈多，但對前線戰況
並不能及時掌握，而打仗的人卻事事要向總部請示，抱怨很
多，效率也不彰。

因此，在組織改造之後，總部要盡可能授權前線，各單
位盡量自己聯絡協調。這樣一來，我們將會發現，總部慢慢
虛級化，效率卻比以前更好。

當集團總部規模變小，我們又發現，新加坡海外事業總
部宏碁國際公司也愈來愈大，那是因為各國當地事業太小，
事事要宏碁國際協助建立組織與制度，又逐漸產生和第一線

功能重複的情況。

於是，我們進一步把權力釋放給各地據點，把宏碁國際的人手派到第一線去打頭陣，這些人並沒有犧牲，反而更有表現機會。

不僅如此，宏碁國際規模也變小了。一段一段來，整個組織才會變成扁平、基座穩固的金字塔。

改造，是一樁相當繁雜與困難的工程，但若換個角度看，困難是天經地義的，如果要創造更高價值卻不碰到困難，那才真是怪事，就是因為突破困難才能創造更高價值，我們現在不就是希望創造價值？今天因為舊架構不改，許多人花費精力卻不得要領，那也是浪費青春，坐以待斃。

經過結構改造之後，各部門便能釋放大量資源，包含人才，可以投入其他建設；包含時間，民眾省下蓋章打通關節的時間，做其他更具生產力的事；更包含社會對政府的信心，凡此種種，不正是提升競爭力的先決條件嗎？

▍生生不息的競爭力

對於提升國家競爭力運動，我個人有幾點看法。

首先，就如同企業提高競爭力是日常工作，提升國家競爭力也是常態，若稱之為「運動」，便將其視為非常態。

過去，政府經常喜歡推展一些運動，為的當然是要表達該議題的重要性，然而放眼過去數不清的運動，無一不是熱鬧開展，但真正「動」起來的又有多少？

原因何在？從我的觀點來看，主要還是得回歸到執行者沒有共同利益。

政府就好比一部大機器，推行運動就是因為這部機器效率不佳，所以要推一推讓它動，但如果有部機器每次都需要推一把才動一下，那這機器是有問題的；如果領導人必須不斷費力推動機器，早晚會累垮。

▋設計自己會動的機制

歸根結柢，這是機制問題，也就是說，必須將系統設計得自己會動，偶爾推它一把，是要讓它運轉得更快。以宏碁來說，這個機制就是使命感和利益共同體。

使命感的功能，提供組織成員精神層次的追求目標。前面曾經談過，中央政府人員素質一般較地方政府高，除了因為舞台大小不同之外，也因為中央單位公務員已有較高層次的成就感與使命感，但是地方還有很多單位並沒有建立這樣的機制，於是影響到組織運作效率。

利益共同體則是提供成員實質面的追求動力。它的工具除了成就感外，無非是獎勵和薪資。不管企業或政府，對於獲利或稅收不能存有「花」的觀念，而是投資，投資就有成本效益的考量。

例如，稅收增加可以改善公務員薪資結構，投資改善環境。環境改善又會增加稅收，公務員得到獎勵，也會致力提升效率，隨著國家整體發展，稅收又進一步增加，如此就會

導入良性循環，讓社會自己動起來，這就是自由經濟體系的優點。

新加坡政府的運作方式，就是如此。在新加坡，公務員擁有高於民間企業的待遇，部長級以上官員的薪資，是前二十大民營企業負責人的平均數。除此之外，還根據GNP目標的達成狀況加發獎金，完全用經營企業的方法在經營國家。

其實所謂「企業精神」，便是在使命目標之下（產品、服務、創造環境都可以是使命目標），透過組織與管理，以最有限的資源產生最高的效益，政府的功能不也是如此？

在利益共同體中，政府必須維持體系和精簡，不能讓某些曾經有特權者，永遠占著位置不離開。誠然，照顧勞苦功高者也是重要的機制，但不能因此而破壞運作效率，不管是升遷或報酬。

▌追求目標而非追逐指標

此外，政府希望在西元兩千年將國家競爭力提升到前五名，在我的想法中，設定目標並沒有錯，但我要強調，指標和目標是不同的。例如，膽固醇指數過高，這是指標，原因是運動太少，運動少不只影響膽固醇，還包括心跳、血醣、血壓等，真正的目標是身體健康，因此重要的是找出原因，而不是追逐指標。

指標的功能是追蹤考核執行方向對不對，不能把焦點錯置於讓各單位追逐指標。要提升國家競爭力，法令是因、行

政心態是因，這些才是重點所在。

　　另一方面，對提升競爭力運動所揭舉「以民間為重，政府為輔」原則，我並不十分贊同。我認為，民間要動必須政府先動，也就是先創造每個人動起來的環境，正如同科學園區的設置，或是獎勵投資條例，只要很務實的規劃，大家自然會朝規劃的方向去動。

　　我認為，目前政府所面臨最大瓶頸是形象問題。比方說，從政府立場來看，提升競爭力運動是德政，由於急切希望民眾了解，便大張旗鼓宣傳，但因為宣傳大，民眾期待高，當成果不如預期時，人民對政府的信心反而降低幾分。幾次運動都雷聲大雨點小，就陷入了惡性循環。

　　提升政府形象，不能先宣傳再執行，而是要先做再說。從「價值／成本」的觀念出發，先切入「投入少、成果多」的工作，所謂成果多，不一定是絕對值最大，而是倍數最大。有了具體成績來證明政府決心後，再進行宣傳，說服力會更強，如此政府形象才會導入良性循環。

■ 從反向思考找出新模式

　　非常重要的關鍵是，政府要改革，就如同企業再造工程一樣，沿襲舊方法往往找不到出路，必須跳出過去的思考模式，以反向思考找出新的經營模式，才有改頭換面的一天。

　　舉例來說，政府可在現成法令規章中，以從寬解釋的行政命令，鼓勵各級政府便民，並組織一個隨時待命、為各級

政府解決問題的專案小組。動起來之後，選三個成效最好的單位，向社會大眾說明個案的來龍去脈，大眾自然會給還沒做到的單位壓力，有這麼多義務監督者，政府就不用到處宣導而疲於奔命。

改革工作不能急功近利，況且已經拖了這麼多年，更沒有必要急在一時，有些本質工作不做好，形象不可能光靠宣傳或辯解就會好轉。

簡而言之，全民運動不是用「推」的，而是要能像點火，引燃火種就整片燒開，擋都擋不住。現在，提升競爭力需要全民動員，就不能沿用過去政治性的方式，例如拜託幾個公會或企業支持，假如政府行政照舊瓶頸重重，只是幾個點孤軍奮鬥，效用可想而知。

▋ 以行銷觀念經營政府

從另一個角度來看，政府就好比企業，它的產品是政策和服務，有產品就要談行銷：市場在哪裡？需要什麼？當政府所提供的政策或服務不為人民接受，這是誰的責任？不能怪人民是刁民，就如同企業產品賣不好，難道能怪消費者是傻瓜？經營者必須反省，究竟是產品不好還是推廣不力。

但現在，這種不能抱怨客戶的認知是否深植於政府？是否有官員仍心存「被人民占便宜」而處處管制？

行銷最重要的精神就是「客戶導向」，對政府而言，客戶（人民）需要的是好的工作和生活環境，國家競爭力高

低，就展現在工作和生活兩方面；而好的環境，無非就是高品質和低成本。工作環境的改善，靠提升生產力來創造價值與降低成本，而生活的改善，同樣需要提高價值與降低成本。

舉降低生活成本來說，美國常以刺激消費來促進經濟成長，但刺激消費不是浪費，而是以物價低、多消費來提升生活品質，消費增加導致市場擴大，廠商從而產生經濟規模，就能提供更物美價廉的品質與服務，讓消費者更增加享受人生的價值，這才是經濟的正面循環。

但台灣顯然不是這樣，不但物價太高，廠商還拚命鼓勵浪費（餐廳就是典型例子），原因就在於泡沫經濟。政府公權力不彰，對炒作地皮和股票者沒有約束力，這些行為在許多國家都是不被容許的，因為它們的本質並沒有創造價值。

▋ 無中生有，創造價值

價值的創造是無中生有，把原來已有的東西炒來炒去，並沒有創造價值，這是需要制裁的。

名義上，政府有許多督導單位，但並沒有秉持並貫徹這種理念。放任炒作的結果，初期也許影響不大，但當這個現象影響到多數人不能安居樂業時，總有一天會回過頭來傷害政府。

有人會認為，自由經濟就要尊重市場機能，因此政府不要干預，但很多炒作行為已經違法，別忘了，自由經濟還有一個重要精神：法治，政府必須提供一個公平競爭的環境，

如有違法情事卻不執法，如何稱得上自由經濟？

另一方面，為了國家長遠發展，政府也有責任將資源導引到最有效率的發展方向，即使不進行干預，也要進行宣導。就如同企業主希望同仁長期持有公司股票，不能把員工股票鎖在公司保險庫裡，但卻可以溝通，讓同仁充分了解公司長期發展藍圖，從而願意長期持有股權。

建立成本觀念，杜絕浪費

事實上，台灣整體環境之所以成本居高不下，追本溯源，政府本身就在浪費，因為它率先創造了浪費預算的機制。

政府預算制度是一種「成本膨脹」（cost plus）的觀念，各單位努力爭取預算，再努力消化預算，花得愈多，下一次可爭取到的預算就愈多。如果預算沒花完還要被罰，所以大家拚命浪費，馬路鋪好了又挖開，以便明年有更多預算來浪費。因此，即使如今財政赤字已經非常嚴重，政府支出還是抑制不了。

目前，民間企業已經可以做到零基預算，為什麼政府不能突破思考窠臼，仍要以前一年度的預算為基礎，不斷往上增加？

不但預算制度如此，其他施政也經常可見類似政策盲點。舉例而言，為了規範「合理利潤」，民營電信局開放條件之一，是訂定11.5％獲利率上限，但如此一來，企業若要追求更多獲利，就被迫要膨脹成本。類似這樣的政策，就是

沒有考慮到降低成本可以增加競爭力。

這就是典型無效的機制，如果不把這種觀念改過來，提升競爭力無異緣木求魚。

我們常會發現，當一個人從注重成本觀念的公司，換到沒有成本觀念的組織後，並不會把成本觀念帶進新環境，因為對他沒有好處，整個環境會把他看成異類，到頭來反而無法存活。機制的影響力，由此可見一斑。因此，要改變成本膨脹的惡性循環，歸根結柢，還是要創造利益共同體，讓大家有切身利害、自動自發的控制成本。

■ 建立共同得利機制

以往，當台灣遭遇景氣低迷時，總會召開大型會議，反覆討論「破繭而出、邁向高峰」的主題。但我認為，遭遇困境或停滯瓶頸時，的確需要突破的策略，但這畢竟是短期的，而提升競爭力卻是永續的、無止境的任務。

要增進人民福祉，要讓大家生活、工作得愉快有尊嚴，就必須尊重人性、相信人性本善，在這個基本理念下，政府必須從事本質改造，要凝聚共識，建立遠景，建立讓大家共同得利的機制 —— 從公務員到各行各業都是如此。

從觀念轉變與共識凝聚開始，共同創造生生不息的台灣，這才是我們所要追求的國家競爭力。

在紅海中尋找藍天

俗話說：「有錢大家賺！」雖然很俗氣，卻也很真實。

傳統的企業使命，以創造最大股東價值為目標；王道的企業使命，則是要創造所有利害關係人的最大價值，包含顧客、員工、供應商、通路以至於整個價值鏈。

換言之，唯有整個價值鏈一起成長，才能確保企業的永續，而這也正是王道企業經營的核心思維。

然而，王道領導人還必須先做到一件事，就是找到能夠創造價值的空間或項目。

要做什麼王

所以，領導者必須回答一個問題：你要做什麼王？你要在哪裡當王？

想當王，必須先「圈地」，也就是市場定位 —— 要創造什麼價值、有沒有能力創造價值，以及要用什麼機制來創造價值。分類，其實是王道思維中很重要的一項。

那麼，要在哪裡圈地？

利基不是唯一

過去，常有人以「藍海」、「紅海」區分企業所尋找的價值，鼓勵大家不要一味在紅海當中競爭，而要在藍海裡尋找利基。

但，所謂的利基，不能永遠只是利基。

利基，也就是藍海，並不是企業追求的終極目標；所以，企業或領導人必須體認到，紅海，是競爭激烈的主流戰區，但也必須在紅海裡找到藍天，才有足夠大的附加價值。

所以，我在這本書裡會提到，經營主流產品不是靠機會，而是以低毛利、高周轉，硬碰硬比拚經營的有效性。

換言之，經營利基產品靠巧取，經營主流產品則是靠豪奪。可是，企業若一直局限在利基產品，無法建立主流市場經營能力，結果不是永遠長不大，就是辛苦打下的江山，最後總是拱手讓人。

我認為，即使是經營利基市場的廠商，還是必須記得，要建立在主流市場布局、作戰的能力，因為遲早會有棋逢敵手的一天。

就像當年宏碁的國際化，雖然是從第三世界開始，採取「鄉村包圍城市」的策略，隨著企業成長發展，最後還是必須進入歐、美市場，甚至第三世界也成為主流市場，變成資訊

大廠的兵家必爭之地。

學習圈地為王

　　所謂的「王」，從字義上來看，可能泛指各行各業的領導者，在各自不同的領域中「圈地為王」。

　　古代兵書《六韜》有言：「夫王者之道，如龍首，高居而遠望，深視而審聽。」

　　為王之道，必須關懷天下蒼生；對企業領導者來說，就是要兼顧所有利害關係人的平衡，甚至不僅僅只是真實的「人」，像是社會、自然環境等等，都包含在內。

　　過去，以美國為主的商業管理學說，只重視股東權益，偏向霸道，因此產生諸如次級房屋借貸危機（subprime mortgage crisis，簡稱次貸危機）等弊端。

　　受到那一波重擊之後，社會開始反思，要求重視公司治理、企業社會責任及環保等問題，漸漸趨近於王道精神。所謂的「天下蒼生」，也就是這個意思。

　　其實，企業也是一個王國，而且企業還可以選擇自己所想要的「天下」；只是，企業存在於社會、環境，就必須對社會負責、保護環境，這是屬於企業的王道。

財經企管 558

王道創值兵法——一以貫之・以終為始・吐故納新・價暢其流

勇敢洗腦，思維不老（修訂版）
消除慣性，世界從此改變
A New Perspective

原書名 —— 鮮活思想：人生以享受為目的
作者 —— 施振榮
主編 —— 李桂芬
責任編輯 —— 羅玳珊、李美貞（特約）
封面與內頁設計 —— 周家瑤

出版者 —— 遠見天下文化出版股份有限公司
創辦人 —— 高希均、王力行
遠見・天下文化・事業群董事長 —— 高希均
事業群發行人／CEO —— 王力行
出版事業部副社長・總經理 —— 林天來
版權部協理 —— 張紫蘭
法律顧問 —— 理律法律事務所陳長文律師
著作權顧問 —— 魏啟翔律師
社址 —— 台北市 104 松江路 93 巷 1 號 2 樓
讀者服務專線 —— （02）2662-0012
傳真 —— （02）2662-0007；2662-0009
電子信箱 —— cwpc@cwgv.com.tw
直接郵撥帳號 —— 1326703-6 號　　遠見天下文化出版股份有限公司

電腦排版／製版廠 —— 立全電腦印前排版有限公司
印刷廠 —— 祥峰印刷事業有限公司
裝訂廠 —— 明和裝訂有限公司
登記證 —— 局版台業字第 2517 號
總經銷 —— 大和書報圖書股份有限公司　電話／（02)8990-2588
出版日期 —— 1998 年 4 月第一版
　　　　　　2015 年 8 月 31 日第二版第 1 次印行

定價 —— 230 元
ISBN —— 978-986-320-769-6
書號 —— BCB558
天下文化書坊 —— www.bookzone.com.tw

國家圖書館出版品預行編目(CIP)資料

勇敢洗腦,思維不老：消除慣性,世界從此改變 /
施振榮著. -- 第一版. -- 臺北市：遠見天下文化,
2015.08
　　面；　公分. -- (財經企管；558)(王道創值兵法)
ISBN 978-986-320-769-6(平裝)

1.企業管理 2.成功法

494　　　　　　　　　　　　　104010723